1580242643

中华人民共和国国家标准

煤炭工业露天矿机电设备修理设施设计规范

Code for open pit mine mechanical and electrical equipments maintenance facilities design of coal industry

GB/T 51068-2014

主编部门：中国煤炭建设协会
批准部门：中华人民共和国住房和城乡建设部
施行日期：2015 年 8 月 1 日

中国计划出版社

2015 北 京

中华人民共和国国家标准
煤炭工业露天矿机电设备
修理设施设计规范
GB/T 51068-2014
☆
中国计划出版社出版
网址:www.jhpress.com
地址:北京市西城区木樨地北里甲11号国宏大厦C座3层
邮政编码:100038　电话:(010)63906433(发行部)
新华书店北京发行所发行
北京市科星印刷有限责任公司印刷

850mm×1168mm　1/32　3.5印张　86千字
2015年5月第1版　2015年5月第1次印刷
☆
统一书号:1580242·643
定价:21.00元

版权所有　侵权必究
侵权举报电话:(010)63906404
如有印装质量问题,请寄本社出版部调换

中华人民共和国住房和城乡建设部公告

第663号

关于发布国家标准《煤炭工业露天矿机电设备修理设施设计规范》的公告

现批准《煤炭工业露天矿机电设备修理设施设计规范》为国家标准，编号为GB/T 51068—2014，自2015年8月1日起实施。

本规范由我部标准定额研究所组织中国计划出版社出版发行。

中华人民共和国住房和城乡建设部
2014年12月2日

前　言

本规范是根据住房城乡建设部《关于印发〈2011年工程建设标准规范制订、修订计划〉的通知》（建标〔2011〕17号）的要求，由中煤科工集团沈阳设计研究院有限公司会同有关单位共同编制完成的。

本规范在编制过程中，规范编制组进行了设计回访和调查研究，吸取了近十年来我国煤炭工业机修体制改革的成果，结合国家工程建设有关政策的规定，认真分析总结了多年来露天煤矿机电设备修理设施设计的实践经验，并广泛征求煤炭系统有关方面专家和单位意见，最后经审查定稿。

本规范共分11章和3个附录。主要内容有：总则，基本规定，露天煤矿机电设备修理设施，厂区总图运输，厂区建筑，供配电、通信和信息管理，给水、排水，采暖、通风，节能，职业安全与职业病防治，环境保护等。

本规范由住房城乡建设部负责管理，由中国煤炭建设协会负责日常管理，由中煤科工集团沈阳设计研究院有限公司负责具体技术内容的解释。各有关单位在执行本规范的过程中，请结合工程设计实践，认真总结经验，如发现需要修改或补充之处，请将意见和建议寄交中煤科工集团沈阳设计研究院有限公司（地址：辽宁省沈阳市沈河区先农坛路12号；邮政编码：110015；传真：024-24810245），以便今后修订时参考。

本规范主编单位、参编单位、主要起草人和主要审查人：
主　编　单　位：中煤科工集团沈阳设计研究院有限公司
参　编　单　位：中煤西安设计工程有限责任公司
　　　　　　　　　内蒙古煤矿设计研究院有限责任公司

昆明煤炭设计研究院
主要起草人：廖海鹰　马培忠　张万和　谢晓京　孙　晓
　　　　　　　张振文　侯　建　李申岩　姜天阳　李晨曦
　　　　　　　杨　臣　张占彪　韩学增　张福思　齐　颖
　　　　　　　董万江　高文达　安琳媛　任红成　郭　金
　　　　　　　张庆国　陈　生　车宝文　马永海　孙宝书
　　　　　　　吕剑铎　吕　英　赵世祥　王洪运　赵林锁
　　　　　　　李艳民
主要审查人：王荣相　刘晓群　刘建平　董继斌　吴　影
　　　　　　　李玉瑾

目　　次

1　总　则 …………………………………………………… （1）
2　基本规定 ………………………………………………… （2）
3　露天煤矿机电设备修理设施 …………………………… （4）
　　3.1　一般规定 ………………………………………… （4）
　　3.2　卡车和工程机械保养车间 ……………………… （5）
　　3.3　发动机和机械部件总成修理车间 ……………… （7）
　　3.4　电气总成修理车间 ……………………………… （8）
　　3.5　铆焊修理车间 …………………………………… （9）
　　3.6　综合辅助车间 …………………………………… （10）
　　3.7　外修队基地 ……………………………………… （11）
　　3.8　设备组装场 ……………………………………… （11）
4　厂区总图运输 …………………………………………… （12）
　　4.1　场址选择 ………………………………………… （12）
　　4.2　总平面布置 ……………………………………… （12）
　　4.3　场(厂)内运输 …………………………………… （13）
　　4.4　竖向设计 ………………………………………… （13）
　　4.5　厂区绿化 ………………………………………… （14）
5　厂区建筑 ………………………………………………… （15）
　　5.1　一般规定 ………………………………………… （15）
　　5.2　生产建筑 ………………………………………… （15）
　　5.3　行政、生活建筑 ………………………………… （17）
6　供配电、通信和信息管理 ……………………………… （21）
　　6.1　供配电和照明 …………………………………… （21）
　　6.2　通信 ……………………………………………… （22）

6.3 管理信息和监控系统	(23)
7 给水、排水	(24)
7.1 给水	(24)
7.2 消防	(28)
7.3 排水	(28)
8 采暖、通风	(29)
8.1 一般规定	(29)
8.2 通风与空调	(30)
8.3 热源	(31)
8.4 室外供热管道	(32)
9 节 能	(33)
10 职业安全与职业病防治	(36)
10.1 安全	(36)
10.2 职业卫生	(37)
11 环境保护	(40)
11.1 一般规定	(40)
11.2 污染防治	(40)
附录A 外委修理与矿机修厂的任务划分	(42)
附录B 露天煤矿主要机电设备和主要总成的修理周期和使用年限	(44)
附录C 露天煤矿主要机电设备和主要总成部件检修设备	(47)
本规范用词说明	(55)
引用标准名录	(56)
附：条文说明	(59)

Contents

1 General provisions ··· (1)
2 Basic requirements ·· (2)
3 Open pit mine mechanical and electrical
  equipments maintenance facilities ····················· (4)
  3.1 General requirements ································ (4)
  3.2 Maintenance shop for truck and
      engineering machinery ······························ (5)
  3.3 Engine and mechanical parts assembly
      maintenance shop ···································· (7)
  3.4 Electrical assembly maintenance shop ············ (8)
  3.5 Welding maintenance shop ·························· (9)
  3.6 Integrated auxiliary shop ···························· (10)
  3.7 Outdoor repair team camp ·························· (11)
  3.8 Equipment assembly field ·························· (11)
4 Plant general layout and transportation ············· (12)
  4.1 Plant site selection ·································· (12)
  4.2 General layout ··· (12)
  4.3 Internal transport ····································· (13)
  4.4 Vertical design ·· (13)
  4.5 Green plant ·· (14)
5 Plant buildings ··· (15)
  5.1 General requirements ································ (15)
  5.2 Production building ·································· (15)
  5.3 Administrative, living building ····················· (17)

6 Power supply and distribution, communication
   and information managemen ······································· (21)
   6.1 Power supply and distribution and lighting ················ (21)
   6.2 Communication ·· (22)
   6.3 Information management and monitor system ············· (23)
7 Water supply and drainag ··· (24)
   7.1 Water supply ··· (24)
   7.2 Fire fighting ··· (28)
   7.3 Drainage ·· (28)
8 Heating and ventilation ·· (29)
   8.1 General requirements ···································· (29)
   8.2 Ventilation and air-conditioning ························· (30)
   8.3 Heat source ·· (31)
   8.5 Outdoor heat supply pipeline ···························· (32)
9 Energy saving ·· (33)
10 Occupation safety and occupation disease
    prevention and control ··· (36)
    10.1 Safety ··· (36)
    10.2 Occupational health ····································· (37)
11 Environmental protection ······································ (40)
    11.1 General requirements ···································· (40)
    11.2 Pollution prevention ····································· (40)
Appendix A Tasks allocation of contract maintenance
            and maintenance shop ······························ (42)
Appendix B Maintenance cycle and service life
            of open pit mine mechanical and electrical
            equipments and the assembly ····················· (44)
Appendix C Maintenance equipments for open pit mine
            mechanical and electrical equipments and

| the assembly ································· (47)
Explanation of wording in this code ················· (55)
List of quoted standards ···························· (56)
Addition: Explanation of provisions ················· (59)

1 总 则

1.0.1 为贯彻执行国家和煤炭工业有关法律、法规、方针、政策，提高露天煤矿机电设备修理设施的设计质量，统一技术要求，制定本规范。

1.0.2 本规范适用于煤炭工业露天煤矿新建、改建及扩建机电设备修理设施工程的设计。

1.0.3 露天煤矿机电设备修理设施的工程设计，应根据批准的露天煤矿规划规模进行，可按露天煤矿建设进度对机电设备修理设施的需要，一次或分期建设。

1.0.4 露天煤矿机电设备修理设施工程的设计，除应符合本规范外，尚应符合国家现行有关标准的规定。

2 基本规定

2.0.1 新建露天煤矿机电设备修理设施,应符合下列规定:

  1 应根据机电设备修理量和专业化协作条件,设置车间和设施;

  2 修理设施宜由修理车间和相应的辅助设施组成;

  3 改建、扩建的机电设备修理设施,现有能力不足时,可部分新建、扩建或改建。

2.0.2 露天煤矿机电设备修理设施的供电、供热、供水、排水、通信、污水处理及厂外道路等公用工程,宜与露天煤矿其他辅助企业集中设置。

2.0.3 露天煤矿机电设备修理设施维修范围,宜为露天煤矿机电设备的日常维修、保养、总成更换及小修任务,以及发动机、机械部件总成、电气总成、金属结构件修理;不承担零配件的加工任务,维修和保养所需零配件应外购或外委解决。

2.0.4 露天煤矿机电设备修理设施的修理范围,应按本规范附录A的规定执行。

2.0.5 露天煤矿机电设备修理设施年修理任务量应按设备的使用数量(不包括备用量)确定,并应符合下列规定:

  1 机械、电气设备的修理量应按设备的修理周期和使用年限计算;

  2 机电设备的修理周期和使用年限宜按本规范附录B的规定执行。

2.0.6 露天煤矿机电设备修理设施的工作制度,应符合下列规定:

  1 卡车和工程机械保养车间宜采用一班或二班制;

2 其余修理车间宜采用一班制。

2.0.7 露天煤矿机电设备修理设施的工艺设备和工人设计年时基数,宜按表 2.0.7-1 和表 2.0.7-2 确定。

表 2.0.7-1　工艺设备设计年时基数

设备类别	设计年时基数(h)	
	一班制	二班制
金属切削机床	1970	3820
锻压设备	1970	3820
焊割设备	1970	3820
装配试验设备	1970	3820
无损探伤设备	1970	3820

表 2.0.7-2　工人设计年时基数

工作环境类别	每周工作日(d)	全年工作日(d)	每班工作小时(h)		公称年时基数损失率(%)	设计年时基数(h)	
			第一班	第二班		第一班	第二班
一类	5	250	8	8	9	1820	1820
二类	5	250	8	8	11	1780	1780

注:1　机械加工、装配、液压件修理、矿山机械修理、矿山电气修理为一类工作环境;

　　2　冲压、铆焊、喷砂除锈、喷漆、刷漆等车间或场所为二类工作环境。

3 露天煤矿机电设备修理设施

3.1 一般规定

3.1.1 露天煤矿机电设备修理设施车间组成,应根据露天煤矿开采工艺确定,宜由卡车和工程机械维修保养、发动机和机械部件总成修理、电气总成修理、铆焊修理、外修队及综合辅助车间(工段)等组成,并应符合下列规定:

  1 当露天煤矿机电设备修理设施生产任务量较少时,宜建相对集中的联合修理车间,应以卡车和工程机械维修保养车间为主,各组成部分宜设为工段;

  2 当露天煤矿发动机、机械部件总成年大修理量超过100台时,可单独设置发动机和机械部件总成修理车间;

  3 当露天煤矿自卸卡车年大修理量超过20台时,可单独设置铆焊修理车间;

  4 当露天煤矿电气设备年大修理量超过450台时,可单独设置电气总成修理车间;

  5 生产联系密切,且性质相近的车间、仓库和辅助建筑物,在满足安全、卫生的条件下,宜建联合厂房、库房或多层建筑;

  6 当露天煤矿使用大型采、运、排设备时,应设置设备组装场。

3.1.2 露天煤矿机电设备修理设施各车间职能范围,应符合下列规定:

  1 卡车和工程机械维修保养车间应担负卡车和工程机械的日常维修、保养、总成更换及小修任务;

  2 发动机和机械部件总成修理车间应担负发动机和机械部件总成的大修理和一般检修;

  3 电气总成修理车间应担负电气设备的大修理和一般检修;

4 铆焊修理车间应担负金属结构类设备和构件的修理;

5 综合辅助车间应由洗车间和综合维修车间组成,并应符合下列规定:

    1)洗车间应担负生产用车、工程机械及辅助生产用车进厂维修保养前的清洗工作;

    2)综合维修车间应担负辅助生产用车的日常维修、保养及小修任务和大型轮胎修补任务,并应担负部分旧件修复加工及生产系统部分设备修理任务。

6 外修队应担负露天煤矿坑下大型难移设备的维修保养任务和坑下作业设备临时故障修理任务。

3.1.3 露天煤矿机电设备修理宜采用零部件总成互换修理法。

3.2 卡车和工程机械保养车间

3.2.1 卡车和工程机械保养车间,应由卡车维修保养工段和工程机械维修保养工段组成。

3.2.2 卡车和工程机械保养车间厂房宜采用横列尽头式台位工作间布置形式,厂房的主要参数应依据卡车和工程机械的参数确定。车间使用面积应按计算的修理台位面积和辅助面积及工艺布置确定。卡车保养厂房主要参数可按表3.2.2-1的数值计算选取,工程机械保养厂房主要参数可按表3.2.2-2的数值计算选取,辅助面积可按修理台位面积的25%~35%计算。当车间修理台位数不超过12时,辅助面积应取大值;当车间修理台位数超过12时,辅助面积应取小值。

表3.2.2-1 卡车保养厂房主要参数

卡车载重量(t)	跨度(m)	柱距(m)	起重机起重量(t)	起重机轨面标高(m)
20	15	6	5	7.5
32	15	9	10	8.4
68	18	12	16	10.5

续表 3.2.2-1

卡车载重量(t)	跨度(m)	柱距(m)	起重机起重量(t)	起重机轨面标高(m)
100t 级	21	12	20 或 32	12
200t 级	21 或 24	13.5	50	13～14
300t 级	24 或 27	15	100	14～16
350t 级	24 或 27	18	100	16～18

注：200t级、300t级、350t级自卸卡车由于生产厂家不同，其外形尺寸和倾泻高度也不同，可按其实际数据确定主厂房跨度及起重机轨面标高。

表 3.2.2-2 工程机械保养厂房主要参数

设备名称及规格		跨度(m)	柱距(m)	起重机起重量(t)	起重机轨面标高(m)
推土机(kW)	74～103	15	9	3	7.2
	132～162	15	9	5	7.8
	235～426	15	9	20	8.4
	433～634	18	12	32	10
装载机(m³)	3～4	15	9	3	7.2
	5	15	9	5	7.8
	13.76	24	9	32	12
	19.13	24	12	50	12
	21.42	24	12	50	13
	25.23	27	12	75	14
	40.52	27	12	100	15

3.2.3 当卡车和工程机械保养车间修理台位数不超过12台位时，车间主厂房跨度和起重机轨面标高应按统一参数确定。当车间修理台位数超过12台位时，卡车保养厂房主要参数宜按本规范表3.2.2-1的数值确定，工程机械保养厂房主要参数宜按本规范表3.2.2-2的数值确定。

3.2.4 当露天煤矿机电设备修理设施不设铆焊修理车间时,可在卡车和工程机械保养车间主厂房按 2 个～4 个修理台位面积设置铆焊修理工段,起重机起重量可按修理的最大金属结构件重量确定。

3.2.5 卡车和工程机械保养车间辅助间建筑面积指标,可按表 3.2.5 选取。

表 3.2.5 卡车和工程机械保养车间辅助间建筑面积指标

辅助间名称	建筑面积(m^2)
空气滤芯清洗间	54～108
配电间	36～54
油脂润滑间	162～252
备品备件间	108～216
工具材料间	108～216
充电间	81～135
空压机间	144
油脂分析间	36～81

3.2.6 修理工人应按卡车和工程机械年修理量确定的维修保养台位数计算配置;辅助工人可按修理工人总数的 15%～25% 计算。当车间修理台位数不超过 12 时,辅助工人数应取大值;当车间修理台位数超过 12 时,辅助工人数应取小值。

3.3 发动机和机械部件总成修理车间

3.3.1 发动机和机械部件总成修理车间,应由发动机修理工段和机械部件总成修理工段组成。

3.3.2 修理工人应按发动机和机械部件总成年修理量确定的修理台位数计算配置;辅助工人可按修理工人总数的 5%～10% 计算。年修理量大时,辅助工人数应取小值;年修理量小时,辅助工人数应取大值。

3.3.3 车间建筑面积应按计算的修理台位面积和辅助面积及工艺布置确定,发动机和机械部件总成修理车间建筑面积指标可按

表3.3.3选取。车间工艺布置应符合下列规定：

1 总成或大型零部件宜搬运最短路程，并宜与拆装修理作业线方向一致；

2 各工位布置的相互位置应适应修理工艺过程需要；

3 车间内通道应按工艺布置确定，并应符合本规范第10.2节的规定。

表3.3.3 发动机和机械部件总成修理车间建筑面积指标

名 称	建筑面积(m²)
发动机修理1个台位	112～144
机械部件总成修理1个台位	90～120
总成分解、组装和清洗及零部件清洗区	2304～2880
发动机测功间	360～378
喷漆间	108
配件库	1200～1500

注：待修设备规格大时取大值，待修设备规格小时取小值。

3.4 电气总成修理车间

3.4.1 采用总成互换修理的露天煤矿，当电气设备年大修理台数超过450台时，宜设电气总成修理车间。设置电修间的露天煤矿，电修间设置应符合现行国家标准《煤炭工业露天矿设计规范》GB 50197的有关规定。

3.4.2 电气总成修理车间，应主要承担露天煤矿各类电动机、变压器、发电机的修理和电气试验。

3.4.3 电气总成修理车间设计应符合下列要求：

1 修理车间的生产纲领应根据机电设备种类、规格和数量以及设备状态检测，结合设备制造厂家建议的维修项目和周期确定；

2 主要总成部件的修理周期和使用年限，可按本规范附录B的规定执行，外委修理部分可按本规范附录A的规定执行；

3 电气设备修理工艺流程、试验内容、工艺和试验设备，应根

据修理类型、检修标准,按机械化、自动化和智能化水平的要求确定;

  4 主要总成部件的检修设备可按本规范附录C选择。

3.4.4 电气总成修理车间的生产面积,应按修理类别的作业区,设备的工艺流程,以及工艺设备布置情况确定。辅助生产面积可按生产面积的20％～30％计取。

3.4.5 电气总成修理车间的修理工人应按各类电气设备的生产纲领和其相应的修理定额计算确定。机床工人可按每台每班配备1人计算,电气试验工应配备2人～4人,辅助生产工人可按生产工人的7％～10％计算。

3.5 铆焊修理车间

3.5.1 铆焊修理车间应由卡车焊修工段和挖掘机焊修工段组成。

3.5.2 修理工人应按卡车焊修和挖掘机焊修年修理量确定的修理台位数计算配置;辅助工人可按修理工人总数的5％～10％计算。年修理量大时,辅助工人数应取小值;年修理量小时,应取大值。

3.5.3 车间建筑面积应按计算的修理台位面积和辅助面积及工艺布置确定,铆焊修理车间建筑面积指标可按表3.5.3确定。车间内通道应根据工艺布置确定,并应符合本规范第10.2节的规定,露天作业场地面积可按车间面积的60％～100％确定。

表3.5.3 铆焊修理车间建筑面积指标

名 称	建筑面积(m²)
卡车车厢和车架焊修1个台位	252～315
挖掘机铲斗、斗杆焊修1个台位	189～252
卷板机、剪板机和备料区	378～504
氧气瓶室	24～36
乙炔室	24～36
探伤室	24～36

注:待修设备规格大时取大值,待修设备规格小时取小值。

3.6 综合辅助车间

3.6.1 洗车间洗车工可按每班4人～6人配置,大车洗车台位可按2人～4人配置,小车洗车台位可按1人～2人配置。洗车间应由大车洗车台位和小车洗车台位及辅助间组成,并应符合下列要求：

1 大车洗车台位建筑参数应按可清洗的最大车辆参数确定,屋架下弦应大于自卸卡车的倾泻高度；

2 大车洗车台位地面宜按要清洗的推土机履带宽度间距埋设钢轨；

3 小车洗车台位建筑参数可按辅助生产车辆的参数确定。严寒地区,大、小车洗车台位可采用一端进出并列布置,其他地区,可采用贯通式布置；

4 大车洗车台位地面坡度宜为0.2%～0.3%,并应设置排水沟。

3.6.2 综合维修车间人员,应包括露天煤矿辅助生产系统用车维修保养组、轮胎修理组、修旧组、车辆电气维修组及生产系统维修组。

3.6.3 综合维修车间人员指标可按表3.6.3确定。

表3.6.3 综合维修车间人员指标

工 种	数量(人)
露天矿辅助生产系统用车维修保养	6～10
轮胎修理	2～5
修旧金属切削机床操作	2～3
电气维修	2～6
生产系统维修	4～8

注：年修理量大时取大值,年修理量小时取小值。

3.6.4 综合维修车间建筑面积指标可按表3.6.4确定。

表 3.6.4 综合维修车间建筑面积指标

名　称	建筑面积(m²)
露天矿辅助生产系统用车维修保养1个台位	90～108
轮胎修理1个台位	90～108
机床间	72～108
车辆电气维修	180～270
生产系统设备维修	180～270

注：年修理量大时取大值，年修理量小时取小值。

3.6.5 当露天煤矿大型轮式设备数量超过80台时，可单独设置轮胎修理车间。车间建筑面积指标可按本规范表3.6.4确定。

3.6.6 当露天煤矿采用连续或半连续工艺时，生产系统设备维修可按实际年修理量单独设置修理车间。

3.7 外修队基地

3.7.1 外修队基地应设外修队设备库，外修队设备库面积宜按外修队检修设备数量确定，并宜配置办公休息场所。

3.7.2 外修队人员应由露天煤矿坑下难移设备维修保养工、起重工及检修设备操作人员组成，修理工人应按露天煤矿坑下难移设备数量所确定的年修理量配置，起重工和检修设备操作人员应按需配置，外修队人员不应低于机电设备修理设施人员总数的10%。

3.8 设备组装场

3.8.1 使用大型采、运、排设备的露天煤矿宜设置设备组装场。

3.8.2 工程机械组装场宜设置在露天煤矿工业广场附近，并可作为大型停车场使用。排土机组装场宜设置在排土场。

3.8.3 设备组装场不应设置在高压线下方，不应设地埋式电源、气源和水源。

3.8.4 设备组装场工艺布置可按设备制造厂家提供的技术要求确定。

4 厂区总图运输

4.1 场址选择

4.1.1 新建露天煤矿机电设备修理设施场址选择,应与露天煤矿统筹规划。改建、扩建露天煤矿建设机电设备修理设施,场址选择宜依托既有露天煤矿的场地及道路、水、电等各项基础设施。

4.1.2 机电设备修理设施的场址选择应符合下列要求:

    1 场址应具有满足工程建设需要的地形、工程地质和水文地质条件;

    2 场址与露天煤矿采掘场、排土场的安全及卫生防护距离,应符合现行国家标准《煤炭工业露天矿设计规范》GB 50197 的有关规定。

4.2 总平面布置

4.2.1 机电设备修理设施的总平面布置,应符合下列要求:

    1 分期建设的机电设备修理设施应根据工艺流程的要求,统一规划、合理衔接。

    2 应根据主要机电设备维修工序的作业要求及各车间的功能性质,合理分区布置;对工艺联系密切,运输量较大的车间应就近布置或设联合车间。

    3 应合理布置适宜的室外作业场地及设备停放场地,作业场地宜背风向阳设置。

    4 变电所布置宜使进出线方便,锅炉房等动力设施宜靠近负荷中心。

4.2.2 建(构)筑物布置应符合下列要求:

1 应充分利用地形、地质、气象等自然条件；

2 地形坡度较大时，主要建(构)筑物长轴宜顺等高线布置在挖方地段；

3 寒冷地区车辆保养、修理等大型车间的出、入口，宜避开冬季主导风向。

4.3 场(厂)内运输

4.3.1 厂区道路及场地设计应符合下列要求：

1 应满足露天煤矿大型设备组装、运输等的要求；

2 应合理组织车流与人流，运输线路短捷顺畅；

3 应满足道路两侧建、构筑物对防火、安全间距的要求；

4 应满足各类工程管线、沟渠布置间距的要求。

4.3.2 道路及场地结构设计应满足运输设备的载荷要求。

4.4 竖 向 设 计

4.4.1 厂区竖向设计应与厂区总平面布置统一协调，并应与厂内、外现有及规划运输线路(铁路、公路)、防(排)水系统相协调。

4.4.2 场地标高的确定应确保厂区不受洪水和内涝威胁，当不可避免时，应采取防洪、排涝的防护措施。

4.4.3 竖向设计应合理利用自然地形，并应减少土(石)方工程量和护坡、挡土墙等工程量。

4.4.4 地形条件简单时，竖向设计宜采用平坡式布置，且宜采用连续式平场方式。地形条件复杂时，可采用阶梯式布置，并应对场地边坡作相应处理。

4.4.5 场地排水坡度不宜小于3‰，场地内雨水应以最短路径排出场外。

4.4.6 场内排水可采用城市型道路路面，并可通过道路边沟及场地排水沟组织排泄。

4.5 厂区绿化

4.5.1 厂区绿化设计应与总平面布置统一协调,并应符合实用、经济、美观的原则。

4.5.2 绿化应充分利用厂区内非建筑地段及零星空地,厂区绿地率应在15%～20%之间。

4.5.3 厂区绿化应根据当地自然条件,选择适应性强、速生的本土植物品种。

5 厂区建筑

5.1 一般规定

5.1.1 厂区建筑应依据原始地形图和近期实测地形图，地震、气象和相应设计阶段要求的工程地质、水文地质等原始资料进行设计。

5.1.2 厂区建筑选址应符合下列规定：

    1 应设在采掘场和排土场的边坡稳定线以外；

    2 应设在采掘场爆破震动安全界线以外；

    3 应避开沟壑、滑坡、矿井采空区等不安全地段。

5.1.3 厂房围护结构应选用新型节能建筑材料。

5.1.4 厂区建筑布置宜符合下列规定：

    1 生产性质、工作条件、使用要求相近的生产车间宜集中布置成联合厂房；

    2 辅助用房、车间办公室和车间生活室在方便生产生活管理的前提下，宜与车间联建。

5.1.5 建筑标准应按其在生产上的重要性和使用要求区别对待。

5.2 生产建筑

5.2.1 厂房建筑体型应减少厂房跨度、高度种类，应避免设置纵横相交跨、多跨厂房中的长短跨和跨间高度差。

5.2.2 毗连厂房纵向布置的车间辅助用房、车间办公室和车间生活室，不宜设在夏季主导风向下风侧，且其遮挡厂房的长度不应超过厂房纵向全长的30%；遮挡的采光口和通风口应采取补救措施。

5.2.3 厂房内有涂料污染的区位，除工艺、环保应采取措施外，还应加强厂房自然通风作为辅助措施。铆焊修理车间的焊接组装区、锅炉房的锅炉间宜设避风天窗或偏天窗，并宜布置在热源或排弃物的上方。

5.2.4 有大面积地面荷载作用的厂房、仓库和露天排架,应考虑由于荷载所产生的地基不均匀变形及其对上部结构的不利影响。

5.2.5 厂房建筑设计应避免大厂房内套小房间及过多分隔。联合厂房内各车间的分隔,宜采用便于拆卸、重复使用的金属隔断。

5.2.6 厂房结构选型应符合下列规定:

1 主要单层厂房宜采用钢筋混凝土柱和钢屋架组成的排架结构、钢排架结构或门式刚架结构。

2 当材料或施工条件有困难时,跨度小于15m、柱距小于6m、柱顶标高不大于7.5m、起重量不大于5t,且轨面标高不大于6m的无抗震设防要求的单层厂房和仓库,可采用砖砌体排架结构。

3 多层厂房及仓库宜采用现浇钢筋混凝土框架结构。

4 行政、生活建筑及车间辅助用房可采用砌体结构。

5.2.7 有扩建要求的独立式厂房宜一次设计分期建设,并应符合下列规定:

1 厂房横向扩建时,应考虑厂房分期建设对采光、通风和消防的要求,并应分期计算结构受力;

2 厂房纵向扩建时,可结合双柱伸缩缝的设置预留扩建用的柱基;

3 需拆除的围护结构,应采用能拆卸和重复使用的构件和材料;

4 应减少扩建对已有厂房及生产的影响;

5 未考虑一次设计分期建设的厂房扩建,新旧厂房宜分开建设;

6 厂房扩建宜采用先建联合厂房的扩建方式。

5.2.8 厂房改建设计应符合下列规定:

1 对改建的可行性应进行整体评估,厂房改建除应满足使用和安全要求外,还应做到经济合理,当改造费用过高时宜调整使用;

2 改建工程不宜改变结构的受力状态;

3 改建前应对原有厂房进行全面系统的检测、鉴定和验算,确定其可靠性和安全度,当不能满足时应采取相应加固措施;

4 不满足抗震要求的厂房,改建时应按国家现行标准《建筑抗震鉴定标准》GB 50023 和《建筑抗震加固技术规程》JGJ 116 的有关规定进行鉴定和加固;

5 改建工程应确保邻近厂房的安全不受影响。

5.3 行政、生活建筑

5.3.1 厂级办公室、车间办公室的设置,宜符合下列规定:

1 厂级办公室可由行政、技术、政工、环保、节能及办公辅助用房组成;

2 车间办公室可由行政、技术、政工及办公辅助用房组成;

3 厂级办公室、车间办公室等行政办公建筑面积指标宜符合表 5.3.1 的规定。

表 5.3.1 行政办公建筑面积指标

序号	项目名称		指标	备注
1	厂级办公室 (m^2/人)	30 人～50 人	22～24	30 人取大值,50 人取小值。指标不包括办公自动化网络用房,理化及计量室用房和通讯设施用房
		<30 人～50 人	22	
2	车间办公室	车间职工 150 人～200 人	$120m^2$～$150m^2$	当技术人员大于等于 4 人时取大值
		车间职工 <150 人	$1.20m^2$/人	按车间职工人数(包括会议室面积)每人平均计取
3	车间会议室(m^2)		60～90	车间大班职工人数 100 人及以上者取大值

· 17 ·

5.3.2 车间生活室应包括更衣休息室、厕所及盥洗设施。车间生活室建筑面积指标应符合表 5.3.2 的规定。

表 5.3.2 车间生活室建筑面积指标

序号	项目名称		指 标	备 注
1	更衣休息室(m²/人)		1.0	按全车间职工人数
3	厕所及盥洗设施（m²/具）	厕所	6~7	按全车间大班职工人数,男厕每 25 人一具,100 人以上每 50 人增设一具;女厕每 20 人一具
		盥洗设施	2	按全车间大班职工人数。洗面器每 20 人设一具

5.3.3 公用建筑应包括职工教育用房、图书游艺室、医疗卫生、妇幼、职工浴室、职工食堂、开水房等设施。公用建筑面积指标宜符合表 5.3.3 的规定。

表 5.3.3 公用建筑面积指标

序号	项目名称	指 标	备 注
1	职工教育用房	0.5m²/人	按全厂职工人数
2	图书游艺室	≤300 人时取 100m²；≥300 人时,每增加 300 职工增加 100m²	按全厂职工人数
3	医疗卫生所(室)	≥900 人时取 150m²；≤300 人时取 50m²	按全厂职工人数
4	乳儿托儿所	80m²	仅当全厂女职工人数大于 200 人时设置
5	妇女卫生室	30m²	—

续表 5.3.3

序号	项目名称	指标	备注
6	职工浴室(m²/人)	0.6~0.45	按全厂大班职工人数。职工浴室宜集中设置
7	职工食堂(m²/座)	1.80~2.00	座位数按大班职工人数的80%或按实际情况估计设置
8	开水房(m²)	25~50	—

5.3.4 其他建筑设施应包括门卫室、自行车棚(库)、私家车停车场地和公共厕所。其他设施建筑面积指标宜符合表 5.3.4 的规定。

表 5.3.4 其他设施建筑面积指标

序号	项目名称		指标	备注
1	门卫室(m²)	主入口	50~60	宜设一处
		次入口	25	
2	员工自备车停车场(m²/辆)		25~40	计算数量按全厂大班职工人数的20%
3	自行车棚(库)		1.7m²/辆	计算数量按全厂大班职工人数的100%~30%；根据需要配置私家车停车场地
4	公共厕所		30m²/处	宜设1处~2处

5.3.5 汽车、叉车库设置应符合下列规定：

 1 汽车、叉车库宜集中设置；

 2 汽车、叉车入库台数可按实际需要确定,载重汽车可不考虑入库;综合建筑面积指标宜按每辆 $19m^2$~$22m^2$ 进行取值。

5.3.6 宿舍、探亲访和住宅设置应符合下列规定:

1 宿舍建筑面积指标应为每单身职工平均 $15m^2$;

2 探亲房建筑面积指标应为每单身职工平均 $1.5m^2$~$1.6m^2$;

3 住宅及其公用设施应依托社会解决。

6 供配电、通信和信息管理

6.1 供配电和照明

6.1.1 露天煤矿机电设备修理设施可根据负荷分布情况采用车间变电所或独立变电所供电。

6.1.2 变电所、配电室的负荷分级和供电要求,应按现行国家标准《供配电系统设计规范》GB 50052 的有关规定执行。

6.1.3 消防设备的负荷分级和供电要求,应按现行国家标准《建筑设计防火规范》GB 50016 的有关规定执行。

6.1.4 下列用电设备应为二级负荷,其余应为三级。
  1 具有下列情形之一的锅炉房:
    1)无汽动给水泵的蒸气锅炉,且停止供水会造成锅炉事故时;
    2)高温热水锅炉采用补给水泵作定压装置时;
    3)循环泵停止运行可能导致管网损坏时。
  2 信息中心(含监控中心)和通信机房。

6.1.5 供配电电压等级宜采用 35kV、10kV、6kV 和 380V/220V。用电负荷全厂需用系数宜取 0.3~0.35。

6.1.6 组装场内电气设备的选择应满足全部设备试验时最大用电负荷的要求。

6.1.7 车间内可采用放射式、链式、树干式或混合式配电。

6.1.8 厂区内 10kV 及以下配电线路宜采用电缆,并宜采用直埋或与其他低压动力电缆一起采用电缆沟方式敷设;当条件不允许时,可采用架空电缆桥架方式敷设。

6.1.9 组装场区内的固定配电电缆宜沿场区周边敷设,在经过设备出入口处时应加穿保护管。

6.1.10 车间内配电干线可根据用电负荷容量,采用封闭母线、绝缘母线、分支电缆或普通电缆,其他线路宜采用电缆或绝缘导线。

6.1.11 车间内配电线路可采用封闭母线、绝缘母线、分支电缆;电缆沿电缆桥架或吊挂敷设时宜采用沿墙安装方式,当采用埋地方式时,应穿镀锌钢管保护。

6.1.12 变电所宜采用无功功率自动补偿措施,补偿后的功率因数应满足当地电力部门的要求,且不应小于0.95。

6.1.13 照明配电设计应符合下列规定:

  1 车间和办公场所的照度、照度均匀度、眩光限制、光源颜色和反射比,应按现行国家标准《建筑照明设计标准》GB 50034的规定执行。

  2 生产车间照明线路宜根据建筑结构特点采用沿线槽、保护管架空敷设或穿管暗敷设,办公及辅助建筑照明线路应采用穿管暗敷设。

  3 照明负荷为2kW及以下时,宜采用单相供电;3kW以上时,应采用三相供电;2kW～3kW时,可采用单相或三相供电。

6.1.14 机修工业厂区、停车位、组装场区宜采用高杆照明灯具,并宜选用时光综合控制设备控制。

6.1.15 配电线路的保护应按现行国家标准《低压配电设计规范》GB 50054的规定执行;用电设备的保护应按现行国家标准《通用用电设备配电设计规范》GB 50055的规定执行;建筑物防雷应按现行国家标准《建筑物防雷设计规范》GB 50057的规定执行。

6.1.16 交流电气装置的接地应按现行国家标准《交流电气装置的接地设计规范》GB/T 50065的规定执行。

6.2 通　　信

6.2.1 露天煤矿机电设备修理设施的行政电话用户,宜划入露天煤矿行政电话交换机。

6.2.2 露天煤矿机电设备修理设施的生产调度通信,宜划入露天煤矿生产调度总机。

6.2.3 厂内通信线路宜采用直埋电缆线路或通信管道电缆线路，厂外通信线路宜采用大对数通信电缆或光缆线路。

6.2.4 通信线路的敷设方式应符合现行国家标准《通信管道与通道工程设计规范》GB 50373 的规定。

6.3 管理信息和监控系统

6.3.1 露天煤矿机电设备修理设施，应根据露天煤矿统一规划建立计算机管理信息系统。

6.3.2 计算机管理信息系统的规模和设备，应满足露天煤矿和本厂管理信息的需要，并应具有良好的网络安全防范措施。

6.3.3 露天煤矿机电设备修理设施宜设置厂区安全生产监控系统，监控中心宜设置在厂区办公建筑内，并应具备与露天煤矿计算机信息管理系统接口的条件。

6.3.4 安全生产监控系统宜包括下列子系统：
   1 车间、厂区视频监控系统；
   2 车间和办公区域、厂区周界越界报警系统。

6.3.5 安全生产监控系统应划入露天煤矿计算机管理信息系统，并应通过露天煤矿数据通信网或当地公用传输网与露天煤矿调度中心联网。

6.3.6 厂区安全生产监控系统主干网线路宜采用光缆。

7 给水、排水

7.1 给 水

7.1.1 水源选择应符合现行国家标准《室外给水设计规范》GB 50013 的规定,并应根据取水量、用水水质及水源环境等条件经技术经济比较后确定,同时应符合下列规定:

1 应采用露天煤矿工业场地的供水设施,水量、水压、水质应统一规划设计;

2 场地供水设施不满足供水要求,需取外部水源时,应符合现行国家标准《室外给水设计规范》GB 50013 有关水源选择的规定;

3 采用市政水源时,应明确供水量、水质、水压和接管点位置;

4 采用地下水或地表水源时,设计各个阶段应有供水水文地质报告和实测的、多年连续实测水文资料与相应的设计枯水流量的保证率;

5 水源的供水能力应按最高日用水量的 1.2 倍～1.5 倍计。

7.1.2 用水量、用水标准、小时变化系数、用水时间参数应按表 7.1.2 规定选取。

表 7.1.2 用水量、用水标准、小时变化系数、用水时间参数

序号	用水单位	单位	用水量(L)或占总用水量(%)	小时变化系数	用水时间(h)	备注
1	职工生活用水	L/人·班	30～50	2.5	8	二班制
2	食堂用水	L/人·餐	20～25	1.5	12	按出勤人数两餐计

续表 7.1.2

序号	用水单位		单位	用水量(L)或占总用水量(%)	小时变化系数	用水时间(h)	备注
3	浴室用水	淋浴	L/个·淋浴器班	540	1.0	1.0	二班制。用水储存在高位水箱中充水时间为2h
		洗面盆	L/个·班	100	1.0	1.0	
4	洗衣用水		L/kg·干衣	60	1.5	8	每人每周二次计,每人1.2kg
5	空压机循环补充水量		m³/h	按循环水量的10%计	1.0	16	二班制
6	锅炉房补充水量	采暖蒸汽锅炉	m³/h	按蒸汽量的20%～40%计	—	16	二班制
		非采暖蒸汽锅炉	m³/h	按蒸汽量的60%～80%计	—	16	
		热水采暖锅炉	m³/h	按循环水量的2%～4%计	—	16	—

续表 7.1.2

序号	用水单位		单位	用水量(L)或占总用水量(%)	小时变化系数	用水时间(h)	备注
7	洗车间用水		L/次·辆	1000~1500	1.0	20min~30min	一班制,洗车指矿山自卸卡车载重量在20t~45t,68t~172t,≥172t
8	总成修理	清洗配件	L/h·班	3600	1.0	4	一班制
		测功间	m^3/h	按循环水量的10%计	1.0	4	一班制
9	冲洗地板用水		L/m^2·次	5~10	—	2	两班制,每班一次
10	绿化用水		L/m^2·次	1.5~2.0	—	2.0	每天一次,当采暖锅炉用水大于等于绿化用水时,绿化用水可不计
11	厂区道路广场洒水		L/m^2·d	2.0~3.0	1.0	1	—
12	景观用水		m^3/h	按循环水量的20%计	1.0	4	—
13	未预计水量		m^3/d	按总用水量的10%~20%计	1.5	16	含外修队基地用水,漏失水量

7.1.3 分质供水应根据用水量、水质要求,经技术经济比较后确定。生活水质应按现行国家标准《生活饮用水卫生标准》GB 5749的规定执行;生产绿化用水应按现行国家标准《煤炭工业露天矿设计规范》GB 50197有关防尘洒水水质标准的规定执行,并应符合表7.1.3-1的规定。当洗车用水采用城市杂用水质标准时,应符合表7.1.3-2的规定。

表7.1.3-1 防尘洒水水质标准

项 目	单 位	标 准	备 注
悬浮物含量	mg/L	≤30	露天矿煤防尘绿化水质标准
悬浮物粒度	mm	≤0.3	
pH值	—	6～9	
粪大肠菌群	个/L	≤3	

表7.1.3-2 洗车杂用水质标准

项 目	单 位	指 标	备 注
pH值	—	6.0～9.0	现行国家标准《城市污水再生利用城市杂用水水质》GB/T 18920有关车辆冲洗水质的规定
色度	度	≤30	
嗅	无不快感	—	
浊度	NTU	≤5	
溶解性总固体	mg/L	≤1000	
BOD_5	mg/L	≤10	
氨氮	mg/L	≤10	
阴离子表面活性剂	mg/L	≤0.5	
铁	mg/L	≤0.3	
锰	mg/L	≤0.1	
溶解氧	mg/L	≥1.0	
总余氯	mg/L	接触30min≥1.0,管网末端≥0.2	
总大肠菌群	个/L	≤3	

7.1.4 洗车构筑物和设备选型应根据车型、日洗车率,以及所需的水量、水压、热水加热方式及水量储备等因素确定。

7.1.5 水源缺乏地区,应设置屋顶、道路、广场的雨水收集、储存系统；并应根据不同用途选择处理级别、工艺，应复用于生产、绿化、道路清洗用水。

7.2 消 防

7.2.1 室外消防给水设计，应符合现行国家标准《建筑设计防火规范》GB 50016 和《煤炭工业给水排水设计规范》GB 50810 的规定，并应符合下列规定：

　　1 可根据机电设备修理设施位置和外部水源条件，采用低压、高压和临时高压供水方式。

　　2 当露天矿工业场地设有消防站或附近有消防站，且在 5min 内行车可到达着火地点时，可采用低压消防系统。

　　3 室内 10min 所需水量、水压，可利用工业场地高位水池、水塔、水箱或气压给水装置的稳压措施保证。

7.2.2 建筑物室内消防给水设计应按现行国家标准《建筑设计防火规范》GB 50016 的规定执行。

7.2.3 给水系统宜采用生活单独系统、生产与消防合用系统；且用消防泵房应按现行国家标准《室外给水设计规范》GB 50013 的有关规定执行。

7.3 排 水

7.3.1 机电设备修理设施各车间的排水水量宜按其生产生活用水量的 0.8 倍～1.0 倍确定。

7.3.2 洗车间及含有油类的各车间，洗车、冲洗等废水应单独处理，并应经沉砂、沉淀、除油预处理后再进行过滤、消毒，可作为洗车、冲洗地面用水。其他生产、生活污废水，可排入厂区排水管网，并应进入工业场地管网统一处理、复用。

7.3.3 综合维修间、保养间、停车场等室内外，应设有地漏、排水沟箅子、检查井、给水井、水表井等给排水设施。有大型车辆通过时，给排水设施应满足结构和强度要求。

8 采暖、通风

8.1 一般规定

8.1.1 采暖室外空气计算参数应按现行国家标准《采暖通风与空气调节设计规范》GB 50019 规定的数据选用；其中未列出的地区可采用气象、地理条件与之相近的县(市)的气象资料。

8.1.2 采暖地区的划分应符合下列规定：

1 累年日平均温度稳定低于或等于5℃的日数大于或等于90d 的地区为采暖地区。

2 累年日平均温度稳定低于或等于5℃的日数为60d～89d 或累年日平均温度稳定低于或等于5℃的日数小于60d，但稳定低于或等于8℃的日数大于或等于75d 的地区为过渡采暖地区。

3 不符合本条第1、2款气象条件的地区为非采暖地区。

4 采暖地区及过渡采暖地区，经常有人工作、休息或生产对室温有一定要求的建筑物，均应设置集中采暖；非采暖地区的浴室、更衣室，以及对室温有一定要求的建筑物，应设置采暖。

8.1.3 采暖室内计算温度可按表8.1.3选取。

表 8.1.3 采暖室内计算温度

建筑物名称	室内温度(℃)
卡车和工程机械保养车间、发动机和机械部件总成修理车间、综合维修间	15
电器总成修理车间、铆焊修理车间、洗车间	16

注：公共及民用建筑采暖室内计算温度，应符合现行国家标准《民用建筑供暖通风与空气调节设计规范》GB 50736 的规定。

8.1.4 建筑物采暖耗热指标可按表8.1.4选取。

表 8.1.4 建筑物采暖耗热指标

建筑物名称	体积(km³)	耗热指标[W/(m³·℃)]
卡车和工程机械保养车间、发动机和机械部件总成修理车间、综合维修间	3.0～5.0	1.4～1.2
	5.0～7.0	1.2～0.9
	7.0～10.0	0.9～0.8
	10.0～20.0	0.8～0.7
	20.0～30.0	0.7～0.6
	>30.0	0.6～0.5
电器总成修理车间、铆焊修理车间、洗车间	1.0～2.0	1.8～1.4
	2.0～4.0	1.4～1.2
	4.0～6.0	1.2～1.0

8.1.5 采暖热媒宜采用不低于95℃的热水。

8.1.6 大空间建筑,当采用散热器布置有困难时,宜采用与暖风设备联合采暖方式,散热器应按至少保证5℃设置。

8.1.7 蓄电池室采用散热器采暖时,宜采用光面排管散热器,采暖管道应焊接,不得设阀门;散热器与蓄电池瓶之间距应不小于0.75m,并不得设置采暖地沟;室内散热器及管道表面均应涂耐酸漆,禁止采用电热采暖。

8.1.8 位于严寒、寒冷地区的公共建筑和生产厂房,其开启频繁的外门可设置热风幕。

8.1.9 集中采暖的房间总排风量超过每小时3次换气量时,应设热风补充装置。其热风量可按排风量的50%～70%计算。

8.2 通风与空调

8.2.1 对产生有害气体的房间应设全面通风,当采用自然通风达不到卫生或生产要求时,应采用机械通风。建筑物的换气次数可按表8.2.1选取。

表 8.2.1 建筑物换气次数

序号	建筑物名称	换气次数(次)	备注
1	卡车和工程机械保养车间	1	—
2	洗车间、铆焊修理车间、发动机和机械部件总成修理车间、综合维修间	2	—
3	防酸隔爆式蓄电池室	6	上排风2/3,下排风1/3
4	酸性开口式蓄电池室	15	上排风1/3,下排风2/3
5	喷漆间	30	—

8.2.2 产生有害气体的设备,宜分别设置局部排风系统。排出的有害气体,当其有害物质的含量超过排放标准或环境要求时,应采取净化措施。

8.2.3 卡车和工程机械保养车间的设备发动机排气,宜就地通过风管排至室外。

8.2.4 排送带有腐蚀性气体的风机和风管应选用无机阻燃、防腐蚀产品。排除含有易爆物质气体的风机,应选用防爆产品。屋顶通风机进口应配用自动启闭阀。

8.2.5 建筑物及工艺设备对室内温度、湿度及洁净度有要求,且采用采暖、通风方式不能满足要求时,应设置空气调节装置。

8.3 热 源

8.3.1 集中采暖的热源选择应符合下列规定:

1 应采用露天矿工业场地锅炉房集中供热,经技术经济比较合理时可单独建锅炉房。

2 单独建锅炉房时,应根据热负荷、煤质资料确定锅炉型号及台数。当燃用低热值煤时宜选择循环流化床锅炉。锅炉台数不宜少于两台。

8.3.2 热交换器的设置不应少于两台,当其中一台停止运行时,其余热交换器的供热量,应满足75%总计算供热负荷的需要。

8.4 室外供热管道

8.4.1 室外供热管道宜采用直埋或地沟敷设。

8.4.2 地沟敷设的热水及蒸汽管道应进行保温,凝结水管可不保温;直埋敷设的供热管道应采用预制保温管。

8.4.3 工业场地有车辆通过处的地沟或检查井的结构,应满足车辆通过的强度要求。

9 节　能

9.0.1 各生产车间及独立部门的用电、用水及采暖供热等,宜安装相应的计量仪表。计量器具配备和选择,应符合现行国家标准《用能单位能源计量器具配备和管理通则》GB 17167 的有关规定。

9.0.2 车间工艺布置应充分使工艺流程通顺合理,应避免物流往返交叉运输。

9.0.3 总图运输节能设计应符合下列规定:

1 厂区总平面布置应将联系密切、运输量较大的车间就近布置或建联合厂房;行政管理及生活服务设施应集中布置;

2 动力站房总图布置除应符合各自的特定要求外,宜接近负荷中心;

3 厂区竖向布置应减少挖填方工程量,宜实现挖填土方平衡;

4 厂区道路网应使物流及生产流程通顺、运距短捷;厂外运输应由露天煤矿统筹设计。

9.0.4 建筑节能设计应符合下列规定:

1 工作条件、使用要求相近的生产车间宜建联合厂房,宜减少外墙围护结构表面积。

2 生产辅助用房及车间办公等生活福利设施宜建多层,并宜毗连主厂房建设,节能设计应符合现行国家标准《公共建筑节能设计标准》GB 50189 的有关规定。

3 建筑总平面的布置,宜利用冬季日照并避开冬季主导风向,并宜利用夏季自然通风。建筑的主朝向宜选择本地区最佳朝向或接近最佳朝向。

4 需通风降温的厂房宜采用自然通风散热。

5 建筑物的墙体和屋面应选用节能定型产品和材料。

6 行政和公共建筑节能设计,应符合现行国家标准《公共建筑节能设计标准》GB 50189 的有关规定。

9.0.5 供配电节能设计应符合下列规定:

1 变电所宜设置在负荷中心;变电所功率补偿方式应符合本规范第 6.1.13 条的规定;

2 供配电设计应按经济电流密度校验导线截面,导线和电缆线损值应符合现行国家标准《企业供配电系统节能监测方法》GB/T 16664 的有关规定;

3 供配电变压器应选择低损耗节能型;变压器投运台数应按变压器经济运行条件确定;

4 电动机能效等级不应低于 2 级,并应合理确定电动机功率;

5 供配电宜采用三相供电,当采用单相供电时,应均衡配置负荷,并应降低导线穿管敷设时产生涡流;

6 厂区照明应选择节能型灯具和照明配电设备;生产车间建筑和办公建筑的照明功率密度值,不应大于现行国家标准《建筑照明设计标准》GB 50034 的有关规定;应合理选择照明控制方式,并宜选用智能型照明控制设备。

9.0.6 采暖通风节能设计应符合下列规定:

1 采暖与空气调节系统的冷、热源,应采用露天煤矿各种余热和自然能源;

2 锅炉的热效率应符合现行行业标准《工业锅炉通用技术条件》JB/T 10094 的有关规定;

3 采暖换热器的选择应保证传热系数不小于 $3000W/(m^2 \cdot K)$,且宜设温度自动调节装置;

4 采暖供热管道保温材料及厚度,应按现行国家标准《设备及管道绝热设计导则》GB 8175 的有关规定执行;

5 严寒和寒冷地区的厂房和车间,外门需经常开启且无门斗

和前室时,应设置热空气幕;送风方式、送风温度、风速等应经计算确定;

6 建筑物通风宜采用自然通风,并应符合本规范第8.2.1条~第8.2.4条的规定。

9.0.7 给水排水节能设计应符合下列规定:

1 供水设施及排水处理宜由露天煤矿统一规划;地形复杂时应采用压力分区供水;

2 给水排水设备、管材等应采用高效、节能产品,卫生器具及器材应采用节水型产品;

3 雨水、污水排放应实现自流;

4 生产废水、生活污水应经处理后回用,并应分质供水。

10 职业安全与职业病防治

10.1 安 全

10.1.1 建筑安全设计及厂区布置应符合下列规定：

1 应根据气象、地质、雷电、暴雨、洪水、地震等情况，预测主要职业安全危险、危害因素，并应采取防范措施。

2 燃油、油脂、氧气及乙炔等各类化学危险品，宜由露天煤矿总仓库统一储存和调度。

3 焊接车间氧气瓶与乙炔瓶安全距离应在 5m 以上。

4 主要生产区的厂区道路应环形布置，尽头式消防车道应设回车道或回车场，回车场面积不应小于 12.0m×12.0m。弯道及交叉路口的视距范围内，不得有妨碍驾驶员视线的障碍物。

10.1.2 车间地面应采用防滑材料。车间内通道宽度和设备之间的距离，应能保证人员安全，并宜符合表 10.1.2-1 和表 10.1.2-2 的规定。

表 10.1.2-1 车间内通道宽度

运输方式	通道宽度(m)			
	修理车间	铆焊	锻造	热处理
人工运输	2～3	2～3	2～3	2
电瓶车单向行驶	2～3	2～3	2～3	2～3
叉车或汽车行驶	3～4	3～4		

表 10.1.2-2 设备布置的最小安全距离

设备布置最小安全距离	小型设备	中型设备	大型设备
设备操作面之间(m)	1.1	1.3	1.5
设备后面、侧面离墙柱(m)	0.8	1.0	1.0
设备操作面离墙柱(m)	1.3	1.5	1.8

注：1 自设备活动机件达到的极限位置算起；
　　2 设备与墙柱的距离应减少对厂房基础的影响。

10.1.3 防止意外工伤、人身事故的措施应符合下列规定：

　　1 冲压机械宜采用进出机构代替手工操作,当只能手工操作时,应设相应安全保护装置;

　　2 电修车间电热烘房应有防爆措施;电气试验站应设隔栏与车间其他部分分隔;高压试验区应另设金属网隔离,并应设信号报警装置;

　　3 起重机的安全装置,应符合现行国家标准《起重机械安全规程》GB 6067 的有关规定,桥(梁)式起重机供电滑线宜选用导管式安全滑触线。

10.1.4 涂装作业应符合现行国家标准《涂装作业安全规程　涂漆工艺安全及其通风净化》GB 6514、《涂装作业安全规程　安全管理通则》GB 7691、《涂装作业安全规程　涂漆前处理工艺安全及其通风净化》GB 7692、《涂装作业安全规程　静电喷漆工艺安全》GB 12367、《涂装作业安全规程　有限空间作业安全技术要求》GB 12942、《涂装作业安全规程　术语》GB 14441、《涂装作业安全规程　涂层烘干室安全技术规定》GB 14443、《涂装作业安全规程　喷漆室安全技术规定》GB 14444、《涂装作业安全规程　静电喷枪及其辅助装置安全技术条件》GB 14773、《涂装作业安全规程　粉末静电喷漆工艺安全》GB 15607、《涂装作业安全规程　浸涂工艺安全》GB 17750、《涂装作业安全规程　有机废气净化装置安全技术规定》GB 20101 的有关规定。

10.2　职　业　卫　生

10.2.1 防尘设施应符合下列规定：

　　1 除锈、焊接等工作场所应采取防尘综合措施;工作场所的粉尘浓度应符合国家现行有关工作场所有害因素职业接触限值化学有害因素标准的规定;

　　2 集中的喷砂除锈间应设置机械通风除尘装置;

　　3 焊接、等离子切割固定作业点应设排风装置;室内作业点不固定时，宜设移动式焊烟净化机。

10.2.2 噪声及振动控制应符合下列规定：

　　1 各生产车间工作场所的噪声职业接触限值，不得超过国家现行有关工作场所有害因素职业接触限值物理因素标准规定的噪声限值。

　　2 工作场所噪声超过限值时，应根据噪声源的特性和传播方式，采取相应的隔声、吸声、消声、隔振、阻尼或综合控制措施，并应符合下列规定：

　　　　1）风机等设备应根据布置情况分别设置隔声罩、隔声间；
　　　　2）压缩空气站等应设隔声值班室，并应采取吸声措施；
　　　　3）风机、空气压缩机的进、排气管道上应采取消声措施。

　　3 振动控制应符合下列规定：

　　　　1）压力机等设备应采取隔振、减振措施；
　　　　2）使用风动工具或电动工具的作业应选用振动小的工具，且应有减振措施或减少连续操作时间。

10.2.3 防暑、防寒设施应符合下列规定：

　　1 加热炉门口和锅炉作业点应设局部通风；

　　2 设备组装场等露天作业场所应设集中休息室，并应按当地气候条件配取暖和防暑降温设施；

　　3 洗车间等潮湿环境宜设置除湿、排水和防潮设施。

10.2.4 有毒有害物质防护设施应符合下列规定：

　　1 集中的喷漆作业应在有通风的喷漆室内和喷漆平台上进行，排风应作净化处理。大面积的喷涂作业场所应有良好的自然通风措施。

　　2 发动机和机械部件总成修理车间测功间，应通风良好，并应设发动机尾气收集排放系统。

　　3 采用溶剂汽油等有机溶剂的零部件清洗作业点、理化试验室中产生有害气体的作业点，应设置通风柜。

10.2.5 各生产车间、工作场所的其他有害因素职业接触限值，应符合国家现行有关工作场所有害因素职业接触限值化学有害因素和工作场所有害因素职业接触限值物理因素标准的规定。

10.2.6 电焊作业点宜设隔离屏障,高度不得小于2m,且与地面应有50mm～100mm间隙。

10.2.7 工作场所采光与照明设计,应符合现行国家标准《建筑采光设计标准》GB 50033和《建筑照明设计标准》GB 50034的规定。

10.2.8 车间卫生用室、生活室和其他辅助用室,应根据机电设备修理设施特点,并应按国家现行有关工业企业设计卫生标准的规定配置。

11 环境保护

11.1 一般规定

11.1.1 环境保护设计应按国家有关建设项目环境保护设计程序进行。

11.1.2 环境保护设计应采用能耗小、资源利用率高、无污染或少污染的清洁生产工艺。

11.1.3 露天煤矿机电设备修理设施不得选用污染严重和浪费大量资源的落后设备,不得采用国家明令淘汰的落后产品。

11.4.4 露天煤矿机电设备修理设施选址应符合大气环境防护距离、噪声环境防护距离等的规定。

11.1.5 改建、扩建露天煤矿机电设备修理设施,应针对新增工程及现有工程所引起的环境问题统一进行环境保护设计,并应采取"以新带老"措施。

11.2 污染防治

11.2.1 污染物排放应达到国家和地方规定的排放标准,并应符合露天煤矿污染物排放总量控制要求。

11.2.2 空气污染防治应符合下列规定:

    1 除锈等散发粉尘的作业区应设置排尘除尘设施,并宜采用干式除尘器;当除尘效果不能满足要求时,可采用湿式或干、湿联合式除尘。

    2 当采用湿式或干、湿联合式除尘时,应配置相应废水处理设施;除尘器排出的干灰应密闭储存,污泥应脱水固化,干灰和污泥的运输和处理应避免二次扬尘。

    3 各焊接工段应配套设置焊烟收集和净化装置。

    4 喷涂作业产生的漆雾应设净化处理装置。

    5 发动机和机械部件总成修理车间测功间发动机尾气收集

排放系统,宜设尾气净化装置。

  6 各通风系统向室外排放的排气筒高度不得低于15m,污染物排放浓度应符合现行国家标准《大气污染物综合排放标准》GB 16297、《工业炉窑大气污染物排放标准》GB 9078、《锅炉大气污染物排放标准》GB 13271等的有关规定。

11.2.3 机电设备修理设施水污染物防治应符合下列规定:

  1 洗车废水、零部件清洗等含有油类、酸碱和其他污染物的废水,应单独设置预处理系统,并应达到相关排放要求后再汇入厂区和露天煤矿排水管网。

  2 生活污水和预处理达标的工业废水宜进入露天煤矿污水处理厂集中处理。距污水处理厂较远或高差较大,经技术经济比较不适宜集中处理时,应在厂内设污水处理站,并应处理达标后回用或外排。

  3 厂内污、废水处理宜达到回用水要求,并宜设回用水系统。

11.2.4 固体废弃物处置应符合下列规定:

  1 应对废有机溶剂、废矿物油、废酸碱、涂料废物、金属切削边角料等废物进行分类收集、堆存,并应采取相应回收、处置或综合利用措施。

  2 厂区生活垃圾统一收集处理后,应与露天煤矿生活垃圾合并处置。

11.2.5 噪声防治工程应对噪声源采取隔声、消声、吸声、隔振等控制措施,厂界噪声应符合表11.2.5的规定。

表11.2.5 厂界环境噪声排放限值[dB(A)]

时段 厂界外 声环境功能区别类型	昼 间	夜 间
0	50	40
1	55	45
2	60	50
3	65	55
4	70	55

附录 A 外委修理与矿机修厂的任务划分

表 A 外委修理与矿机修厂的任务划分

序号	设 备 名 称	修 理 分 工		
		外委	矿(厂)	修理车间
1	单斗挖掘机	○	日、一	日、一
2	轮斗挖掘机	○	日、一	日、一
3	拉斗铲	○	日、一	日、一
4	自移式破碎机	○	日、一	日、一
5	转载机	○	日、一	日、一
6	排土机	○	日、一	日、一
7	钻机	○	日、一	日、一
8	矿用自卸卡车	○	日、一	日、一
9	矿用洒水车	○	日、一	日、一
10	推土机	○	日、一	日、一
11	履带运输车	○	日、一	日、一
12	装载机	○	日、一	日、一
13	平路机	○	日、一	日、一
14	压路机	○	日、一	日、一
15	辅助生产车辆	○	日、一	日、一
16	发动机	○	日、一	日、一
17	机械部件总成	○	日、一	日、一

续表 A

序号	设备名称	修理分工		
		外委	矿(厂)	修理车间
18	电气设备总成	○	日、一	日、一
19	金属切削机床	○	日、一	日、一
20	电动机机壳和转子轴	○	日、一	日、一
21	外修队特种设备	○	日、一	日、一

注:1 本表所列修理划分仅适用于矿机修厂未设发动机和机械部件总成修理车间和铆焊修理车间及电气总成修理车间;

2 "○"表示大修理,"一"表示一般检修,"日"表示日常检修。

附录 B 露天煤矿主要机电设备和主要总成的修理周期和使用年限

B.0.1 单斗挖掘机和钻机的修理周期和使用年限应符合表 B.0.1 的规定。

表 B.0.1 单斗挖掘机和钻机的修理周期和使用年限

设备规格		维修周期（月）			参考使用年限(年)
		月检	年修	大修	
单斗挖掘机标准斗容(m³)	4～14	1	12	48	12～18
	15～32	1	12	48	12～18
	33～56	1	12	48	12～18
回转钻机钻孔直(mm)	150	1	12	48	12～18
牙轮钻机钻孔直(mm)	250～310	1	12	48	12～18

B.0.2 自卸卡车及工程机械维修的修理周期和使用年限应符合表 B.0.2 的规定。

表 B.0.2 自卸卡车及工程机械维修的修理周期和使用年限

设备规格		维修周期(h)								参考使用年限(年)
		一保	二保	三保	四保	电动轮大修	发动机大修	减速机大修	整机大修	
卡车载重(t)	20～45	100～200	400～600	—	—	—	8000	8000	12000～14000	8～12
	68～172	100～200	500～800	800～1500	2000～3000	8000～12000	8000～12000	8000～12000	12000～18000	8～12
	>172	250	1000	1500～2000	4000～5000	8000～12000	8000～12000	8000～12000	12000～18000	8～12

续表 B.0.2

设备规格		维修周期(h)								参考使用年限(年)
		一保	二保	三保	四保	电动轮大修	发动机大修	减速机大修	整机大修	
推土机功率(kW)	74~103	200~250	400~500	1000~1200	—	—	8000	—	12000~14000	8~12
	132~426	250	500	1000	2000	—	8000	—	12000~14000	8~12
	>426	250	500	1000	2000	—	8000	—	12000~14000	8~12
装载机斗容(m³)	3~4	200~250	400~500	1000~1600	—	—	8000	—	12000~14000	8~12
	5	250	500	1000	2000	—	8000	—	12000~14000	8~12
	>5	250	500	1000	2000	—	8000	—	12000~14000	8~12

B.0.3 轮斗挖掘机和排土机的修理周期和使用年限应符合表B.0.3的规定。

表 B.0.3 轮斗挖掘机和排土机的修理周期和使用年限

理论生产能力(m³/h)	维修周期			参考使用年限(年)
	月检(月)	年修(月)	大修(年)	
400~2000	1	12	4	20~40
2000~3600	1	12	4	20~40
3600~6600	1	12	4	20~40

B.0.4 拉斗铲的修理周期和使用年限应符合表B.0.4的规定。

表 B.0.4 拉斗铲的修理周期和使用年限

斗容(m³)	维修周期			参考使用年限(年)
	月检(月)	小修(月)	大修(年)	
20～100	1	6	10	20～40

B.0.5 自移式破碎机和转载机的修理周期和使用年限应符合表 B.0.5 的规定。

表 B.0.5 自移式破碎机和转载机的修理周期和使用年限

维修周期			参考使用年限(年)
月检(月数)	中修(月)	年修(年)	
1	3	1	20～40

B.0.6 电气设备的修理周期和使用年限应符合表 B.0.6 的规定。

表 B.0.6 电气设备的修理周期和使用年限

序号	设备名称	修理周期(月)			参考使用年限(年)	备注
		大修理	一般检修	日常检修		
1	一般大中型电动机	96～180	24～60	12	20～30	指中心高不小于355mm电动机
2	一般小型电动机	48～96	24～48	3～6	15～20	—
3	6kV、10kV及以下变压器	72～120	—	12	20～25	—
4	直流发电机	60～120	12～24	6	20～25	—
5	电动轮电气部分	48～60	12～18	6	15～20	—

注：露天煤矿主要机电设备和主要总成的修理周期和使用年限，可按设备制造厂提供的建议，当无厂方资料时，可按本规范附录 B 确定。

附录C 露天煤矿主要机电设备和主要总成部件检修设备

C.0.1 卡车和工程机械保养车间主要检修设备应符合表C.0.1的规定。

表C.0.1 卡车和工程机械保养车间主要检修设备

序号	设备名称	备注
1	桥式起重机	按表4.2.1选用
2	砂轮切割机	—
3	直流电焊机	—
4	交流电焊机	—
5	焊条干燥箱	—
6	筒式烟尘净化器	可移动,带双臂
7	中频感应加热系统	焊缝预热/保温装置
8	砂轮机	—
9	充电机	—
10	轮辋拆装机	按轮胎规格选用
11	轮胎机械手	按轮胎规格选用,装载机或越野叉车底盘
12	轮胎服务车	按轮胎规格选用
13	移动千斤顶	按自卸卡车吨位选用
14	电瓶车	—
15	内燃叉车	按自卸卡车吨位选用
16	多功能清扫车	—
17	手推车	—

续表 C.0.1

序号	设备名称	备注
18	油脂集中润滑站	—
19	离心真空净油机	—
20	原子吸收光谱仪	—
21	工业除尘滤筒保养清洗站	适用于露天煤矿重度粉尘工况
22	微油螺杆式空气压缩机组	—
23	油缸拆装车	—
24	电动轮拆装小车	—
25	台式钻床	—
26	台式砂轮机	—

C.0.2 发动机和机械部件总成修理车间主要检修设备,应符合表 C.0.2 的规定。

表 C.0.2 发动机和机械部件总成修理车间主要检修设备

序号	设备名称	备注
1	桥式起重机	—
2	悬臂式起重机	—
3	叉车	—
4	轨道平板车	—
5	手推车	—
6	高压冷热水清洗机	清洗总成部件
7	蒸汽清洗机	清洗零件油脂
8	圆盘式零件清洗机	—
9	蒸煮箱	—
10	压力机	—
11	发动机翻转架	非标设备
12	连杆检测仪	—
13	曲轴检测工作台	—

续表 C.0.2

序号	设 备 名 称	备 注
14	缸套沉孔修复设备	—
15	卡特电喷喷油器试验台	—
16	PT泵试验台	—
17	喷油器流量试验台	—
18	喷油器密封性试验台	—
19	喷油器行程试验台	—
20	轴承加热器	—
21	发动机测功系统	—

C.0.3 电气总成修理车间主要检修设备,应符合表C.0.3的规定。

表C.0.3 电气总成修理车间主要检修设备

序号	设 备 名 称	备 注
一、电动机拆卸清洗		
1	油压拆卸装置	—
2	手动螺旋式拆卸装置	—
3	立式线圈切割机	—
4	立式线圈拆除机	—
5	油压扒轮机	—
6	卧式线圈切割拔线机	—
7	冷热水高压清洗机	—
8	转子存放架	—
9	焙烧箱	—
10	电机清洗机	—
11	电动式清洗机	—
12	高温高压清洗机	—
13	单机除尘器	成套设备带转盘小车
14	吹灰喷漆箱	—

续表 C.0.3

序号	设备名称	备注
二、绕线下线		
1	电机线圈绕线机	—
2	变压器圈绕线机	—
3	半自动排线绕线机	—
4	箔式绕线机	—
5	定子线圈涨形机	—
6	包绝缘带机	—
7	热压模机	—
8	定子线圈涨形机	—
9	动平衡试验机	—
10	转子存放架	—
11	圈式线圈包带机	—
12	烧锡锅	—
13	操作台	非标设备
14	电子定子测试台	—
三、变压器检修及其他		
1	齿轮油泵	—
2	真空滤油机	—
3	多功能油处理机	—
4	弧焊机	—
5	环保喷漆房	—
四、浸漆干燥		
1	真空压力浸漆设备	—
2	烘干箱	—
五、通用设备		
1	立式油压机	—
2	电机压装专用液压机	—

续表 C.0.3

序号	设备名称	备注
3	台式钻床	—
4	除尘砂轮机	—
5	划线平台	—
六、电动轮电气部分修理		
1	大型动平衡试验台	—
2	数控普通车床	—
3	大型电机负荷试验台	—
4	电动轮电动翻转架	—
5	中型感应轴承加热器	—
6	大型感应轴承加热器	—
7	红外线轴承加热箱	非标设备
8	喷砂清洁室	—
9	齿轮安装机	—
10	冰柜	—
11	铁芯损耗检测仪	—
12	自动线圈绕组机	—
13	自动线圈绑带机	—
14	预造型机	—
15	造型机	—
16	线圈成型机	—
17	综合空载试验台	—
18	大型车铣镗加工机	—
19	激光熔覆焊接设备	—
20	胶管压装制造成套设备	含胶管扣压、切割、清洗、剥胶、预装

· 51 ·

续表 C.0.3

序号	设 备 名 称	备 注
七、起重运输设备		
1	桥式起重机	—
2	半门式起重机	—
3	电动搬运车	—
4	蓄电池电动平板车	—

C.0.4 铆焊修理车间主要检修设备,应符合表 C.0.4 的规定。

表 C.0.4 铆焊修理车间主要检修设备

序号	设 备 名 称	备 注
1	桥式起重机	按最大焊修件选用
2	CO_2 气体保护焊机	—
3	直流弧焊机	—
4	交流弧焊机	—
5	等离子切割机	—
6	焊条干燥箱	—
7	筒式烟尘净化器	可移动,带双臂
8	中频感应加热系统	焊缝预热/保温装置
9	工业超声波探伤仪	—
10	砂轮机	—
11	砂轮切割机	—
12	钻床	—
13	剪板机	—
14	卷板机	—
15	压力机	—

续表 C.0.4

序号	设 备 名 称	备 注
16	乙炔发生器	—
17	风铲	—
18	折弯机	—
19	叉车	—
20	矿用清洗车	—

C.0.5 综合辅助车间主要检修设备，应符合表 C.0.5 的规定。

表 C.0.5 综合辅助车间主要检修设备

序号	设 备 名 称	备 注
一、综合维修车间		
1	桥式起重机	—
2	台式钻床	—
3	台式砂轮机	—
4	干燥箱	—
5	移动式空气压缩机	—
6	移动式乙炔发生器	—
7	直流弧焊机	—
8	交流弧焊机	—
9	焊条干燥箱	—
10	卧式车床	—
11	立式钻床	—
12	散热器清洗槽	—
13	散热器试验水槽	—
14	零件清洗清水槽	—
15	零件清洗碱水槽	—
16	轮胎修补设备	—
二、洗车间		
1	高压冷热水清洗机	按大车清洗配置
2	高压冷热水清洗机	按轻型车清洗配置

C.0.6 外修队主要检修设备,应符合表 C.0.6 的规定。

表 C.0.6 外修队主要检修设备

序号	设备名称	备注
1	全路面起重机	按需吊装的最大设备或部件确定
2	越野轮胎式起重机	按需吊装的最大设备或部件确定
3	重型平板车	按需运输的最大设备或部件确定
4	故障救援车	按最大自卸卡车规格确定
5	工程检修车	带电焊机、空压机、气弧刨、随车吊、液氮桶等
6	气泵车	—
7	油脂注油车	—
8	越野叉车	—
9	发电车	按电铲规格确定功率
10	电缆排放车	
11	维修工具车	—
12	汽车吊	按需确定
13	千斤顶	按最大自卸卡车规格确定
14	焊接车	—
15	移动照明灯车	—
16	启动加热车	
17	高空作业车	作业高度 20m 以上
18	工程车	载重 20t 或 25t
19	矿用清洗车	—

本规范用词说明

1 为便于在执行本规范条文时区别对待,对要求严格程度不同的用词说明如下:

1) 表示很严格,非这样做不可的:

正面词采用"必须",反面词采用"严禁";

2) 表示严格,在正常情况下均应这样做的:

正面词采用"应",反面词采用"不应"或"不得";

3) 表示允许稍有选择,在条件许可时首先应这样做的:

正面词采用"宜",反面词采用"不宜";

4) 表示有选择,在一定条件下可以这样做的,采用"可"。

2 条文中指明应按其他有关标准执行的写法为:"应符合……的规定"或"应按……执行"。

引用标准名录

《室外给水设计规范》GB 50013
《建筑设计防火规范》GB 50016
《采暖通风与空气调节设计规范》GB 50019
《建筑抗震鉴定标准》GB 50023
《建筑采光设计标准》GB 50033
《建筑照明设计标准》GB 50034
《供配电系统设计规范》GB 50052
《低压配电设计规范》GB 50054
《通用用电设备配电设计规范》GB 50055
《建筑物防雷设计规范》GB 50057
《交流电气装置的接地设计规范》GB/T 50065
《公共建筑节能设计标准》GB 50189
《煤炭工业露天矿设计规范》GB 50197
《通信管道与通道工程设计规范》GB 50373
《民用建筑供暖通风与空气调节设计规范》GB 50736
《煤炭工业给水排水设计规范》GB 50810
《生活饮用水卫生标准》GB 5749
《起重机械安全规程》GB 6067
《涂装作业安全规程　涂漆工艺安全及其通风净化》GB 6514
《涂装作业安全规程　安全管理通则》GB 7691
《涂装作业安全规程　涂漆前处理工艺安全及其通风净化》GB 7692
《设备及管道绝热设计导则》GB 8175
《工业炉窑大气污染物排放标准》GB 9078

《涂装作业安全规程　静电喷漆工艺安全》GB 12367
《涂装作业安全规程　有限空间作业安全技术要求》GB 12942
《锅炉大气污染物排放标准》GB 13271
《涂装作业安全规程　术语》GB 14441
《涂装作业安全规程　涂层烘干室安全技术规定》GB 14443
《涂装作业安全规程　喷漆室安全技术规定》GB 14444
《涂装作业安全规程　静电喷枪及其辅助装置安全技术条件》GB 14773
《涂装作业安全规程　粉末静电喷漆工艺安全》GB 15607
《大气污染物综合排放标准》GB 16297
《企业供配电系统节能监测方法》GB/T 16664
《用能单位能源计量器具配备和管理通则》GB 17167
《涂装作业安全规程　浸涂工艺安全》GB 17750
《涂装作业安全规程　有机废气净化装置安全技术规定》GB 20101
《工业锅炉通用技术条件》JB/T 10094
《建筑抗震加固技术规程》JGJ 116

中华人民共和国国家标准

煤炭工业露天矿机电设备
修理设施设计规范

GB/T 51068-2014

条 文 说 明

制 订 说 明

《煤炭工业露天矿机电设备修理设施设计规范》GB/T 51068—2014，经住房城乡建设部 2014 年 12 月 2 日以第 663 号公告批准发布。

本规范制定过程中，编制组进行了专题调查研究，吸取了我国煤炭工业机修体制改革和市场经济改革的成果，注意到我国当前煤炭工业建设中，露天煤矿引入国内外先进的技术装备及对设备维修的技术要求和国家在工程建设中对节约用地、节能减排、环境保护及职业安全卫生等政策的严格要求，认真总结分析了多年来对露天煤矿机电设备修理设施的实践经验。在本规范的编写中，采用了相应的新技术、新工艺、新设备等有效措施。

为便于广大设计、施工、科研、学校等单位有关人员在使用本规范时，能正确理解和执行条文规定，本规范编制组按章、节、条顺序编写了该规范的条文说明，对条文规定的目的，依据及执行中需要注意的有关事项进行了说明。但是，本条文说明不具备与规范正文同等的法律效力，仅供使用者作为理解和把握其规范条文规定的参考。

目 次

1 总 则 …………………………………………………… (65)
2 基本规定 ……………………………………………… (66)
3 露天煤矿机电设备修理设施 ………………………… (68)
   3.1 一般规定 ………………………………………… (68)
   3.2 卡车和工程机械保养车间 ……………………… (68)
   3.3 发动机和机械部件总成修理车间 ……………… (70)
   3.4 电气总成修理车间 ……………………………… (70)
   3.5 铆焊修理车间 …………………………………… (71)
   3.6 综合辅助车间 …………………………………… (71)
   3.7 外修队基地 ……………………………………… (71)
   3.8 设备组装场 ……………………………………… (71)
4 厂区总图运输 ………………………………………… (73)
   4.1 场址选择 ………………………………………… (73)
   4.2 总平面布置 ……………………………………… (73)
   4.3 场(厂)内运输 …………………………………… (73)
   4.4 竖向设计 ………………………………………… (74)
   4.5 厂区绿化 ………………………………………… (74)
5 厂区建筑 ……………………………………………… (75)
   5.1 一般规定 ………………………………………… (75)
   5.2 生产建筑 ………………………………………… (76)
   5.3 行政、生活建筑 …………………………………… (78)
6 供配电、通信和信息管理 …………………………… (84)
   6.1 供配电和照明 …………………………………… (84)
   6.2 通信 ……………………………………………… (84)

6.3　管理信息和监控系统 …………………………………（85）
7　给水、排水 …………………………………………………（86）
　　7.1　给水 ……………………………………………………（86）
　　7.2　消防 ……………………………………………………（87）
　　7.3　排水 ……………………………………………………（87）
8　采暖、通风 …………………………………………………（89）
　　8.1　一般规定 ………………………………………………（89）
　　8.2　通风与空调 ……………………………………………（89）
　　8.4　室外供热管道 …………………………………………（89）
9　节　　能 ……………………………………………………（90）
10　职业安全与职业病防治 ……………………………………（92）
　　10.1　安全 …………………………………………………（92）
　　10.2　职业卫生 ……………………………………………（93）
11　环境保护 ……………………………………………………（96）
　　11.1　一般规定 ……………………………………………（96）
　　11.2　污染防治 ……………………………………………（96）

1 总 则

1.0.1 本条阐明制定《煤炭工业露天矿机电设备修理设施设计规范》(以下简称本规范)的目的。

近十年来,随着我国经济体制改革力度的加大和科学技术的迅速发展,现代化高产、高效的露天煤矿不断建成投产,引进及国产高效的新型设备,在现代化大型露天煤矿的生产中得到广泛应用,为适应现今煤炭工业发展要求,必须把新的发展变化,行之有效的先进技术和管理体制纳入标准,才能满足煤炭生产发展的需要,这是制定本规范的目的。

1.0.2 明确本规范的适用范围。

1.0.3 露天煤矿通常都是分期建设,建设时间和建设周期也不相同,从一期露天煤矿建成投产到末期建成投产,往往会相隔几年或十几年,甚至更长的时间。若露天煤矿机电设备修理设施都一次建成投产,势必会造成前期部分修理能力的闲置,而基建投资过早投入又造成不必要的浪费。

露天煤矿机电设备修理设施的设计应根据已批准的露天煤矿规划进行设计,这样会使整体布局会更加合理。当然,是否分期及怎样分期建设要根据各露天煤矿具体情况,并通过充分的经济论证分析后,在技术经济合理的情况下协商确定。

2 基 本 规 定

2.0.3、2.0.4 阐明露天煤矿机电设备修理设施担负的生产任务范围,强调露天煤矿机电设备修理设施的设计,要切实做到以修为主,原则上不制造设备,也不制造配件,这是本规范要坚持的基本原则。

本规范中"总成"是指由多个零件组成的,可完成某种功能的部件。如发动机总成,电动轮总成,传动轴总成等。

2.0.5 本条是按多年来露天煤矿机电设备修理设施修理工作量和具体任务量的常用计算方法规定的。通过这种方法计算出全厂及各修理车间的生产任务量,能比较客观地反映出露天煤矿机电设备修理设施的实际规模的大小和主要技术经济指标的合理性。当然这种统计计算方法不仅要具有较丰富的设计经验,同时也需要作大量的统计分析工作。对露天煤矿的机电设备目录,要分项逐台进行统计,计算出所要修理的机电设备的台数,然后再按其平均修理周期和使用年限计算出年修理任务量,即生产纲领。各车间再根据生产纲领进行工艺设计。

根据计算的生产纲领来设计露天煤矿机电设备修理设施,这也是各类机械工厂设计的通用方法。

除附录 B 中已列出设备维修周期外,其他各类机电设备和总成部件的年修理次数可按下式计算:

$$N_n = \frac{L}{L_n} - \frac{L}{L_{n+1}} \quad (1)$$

式中:N_n——某种修理作业的年修理次数,式中符号下标注脚 n 为 1、2、3、4、大时,即代表一保、二保、三保、四保、大修,依次类推;

L——某种设备的年运行时间(h);

L_n——相对应某种设备的修理周期(h);

L_{n+1}——相对应某种设备高一级修理作业的修理周期(h)。

2.0.7 露天煤矿机电设备修理设施的工艺设备和工人设计年时基数,是以现行行业标准《机械工厂年时基数设计标准》JBJ/T 2 为基础,根据煤炭工业露天煤矿机电设备修理设施生产设备装备的具体情况制定。

根据 2007 年国务院新公布的《全国年节假日放假办法》,将节假日由原规定 10d 增加到 11d,全年法定工作日由 251d 改为 250d,对"标准"中的"工人设计年时基数"作了相应调整,对一类工作环境第一班、第二班年时基数由 1830h 改为 1820h;二类工作环境第一班、第二班年时基数由 1790h 改为 1780h。并根据露天煤矿机电设备修理设施的特点对一类、二类工作环境作了注解说明。

露天煤矿机电设备修理设施的设计年时基数一般按露天煤矿生产工作日确定,可与建设单位协商确定。

3 露天煤矿机电设备修理设施

3.1 一般规定

3.1.1 规定露天煤矿矿机电设备修理设施全厂及各车间的设置及修理量的范围。本规范相对现行国家标准《煤炭工业露天矿设计规范》GB 50197 中机电设备维修章节规定有明显扩大，除增加了新的内容外，还对原有部分内容进行了细化。这是因为露天煤矿建设规模范围的扩大及采矿新技术、新工艺的快速发展，在近年的工程建设中广泛采用了新的技术装备，露天煤矿矿机电设备修理设施的修理量也随之变化。

根据新的变化情况，为确定露天煤矿矿机电设备修理设施全厂及各车间年修理量的区间范围，进行了下列几项工作：

其一，对部分露天煤矿矿机电设备修理设施和矿区机电设备修理设施进行了回访调研，对其生产现状及变化进行分析总结；

其二，对近期设计的露天煤矿的生产工艺、技术装备进行了分析，统计了部分露天煤矿的选用设备，分生产环节对设备类别、规格、台数，逐项统计汇总分析；

其三，按照以修为主，专业化修理的原则，规定了发动机和机械部件总成修理车间，铆焊修理车间、电气总成修理车间设置的必要条件。

3.2 卡车和工程机械保养车间

3.2.2、3.2.3 卡车和工程机械保养车间人员和面积指标主要根据年修理量确定的维修保养台位数确定，维修保养台位数可按下式计算：

$$M_n = \frac{D_n \beta}{T} \tag{2}$$

式中：M_n——某种修理作业所需作业台位数，式中符号下标注脚 n 为 1、2、3、4、大时，即代表一保、二保、三保、四保、大修，依次类推；

D_n——某种修理作业年需留厂时间(d)；

β——不平衡系数，保养取 1.1，修理取 1.25；

T——年工作日(d)。

维修保养台位数应包括保养、小修台位和总成更换台位。保养及小修台位可根据修理设备数量按二班或三班工作制计算，总成更换台位按一班工作制计算。若露天煤矿储存有足够的备用总成，可不计算总成更换台位，否则需按发动机大修，机械部件总成大修、电气总成大修、整机大修确定总成更换台位。

各维修保养台位均应设置相应的电源，气源、油脂注油点、洗手池和钳工工作台。

表 3.2.2-1 中 100t 级自卸卡车包括额定载重量 91t 的北重 TR100，额定载重量 108t 的湘潭 SF31904，额定载重量 130t 的别拉斯 75131。

200t 级自卸卡车包括额定载重量 154t 的湘潭 SF32601，额定载重量 220t 的湘潭 SF33900，额定载重量 177t 的卡特 789C、额定载重量 186t 的特雷克斯 MT3700B、额定载重量 186t 的小松 730E、额定载重量 193t 的尤克里德—日立 EH3500、额定载重量 195t 的利勃海尔 T252、额定载重量 218t 的利勃海尔 T262、额定载重量 220t 的别拉斯 75306、额定载重量 230t 的卡特 793D、额定载重量 231t 的小松 830E、额定载重量 236t 的特雷克斯 MT4400AC。

300t 级自卸卡车包括额定载重量 282t 的尤克里德—日立 EH4500-2，额定载重量 291t 的小松 930E-3、额定载重量 315t 的尤克里德—日立 EH5000、额定载重量 326t 的特雷克斯 MT5500B。

350t级自卸卡车包括额定载重量345t的利勃海尔T282B,额定载重量363t的利勃海尔T282C。

3.3 发动机和机械部件总成修理车间

3.3.2 修理台位数可按本规范条文说明公式(2)计算确定。

3.4 电气总成修理车间

3.4.1 随着露天开采技术的发展,露天煤矿工程规模越来越大、开采工艺越来越因地制宜。随着中国特色社会主义市场经济的快速发展,在保证露天煤矿安全生产的前提下,本条规定了露天煤矿设置电气总成修理车间的条件,建设单位可是露天煤矿,也可是设备制造厂家或社会其他单位。总之,设置电气总成修理车间必须体现企业的经济效益。

3.4.2 露天煤矿大多采用综合开采工艺,设备能力大,品种繁多,且单台设备电力安装容量增大、自动化程度高,本车间仅列出主要承修的总成电气设备品种。

3.4.3 本条分项说明如下:

1 确定的生产纲领不仅包括露天煤矿或修理范围内各类年修理台数,还应划分为年大修和年小修台数。

2 电气总成修理车间可列出主要承修的总成电气设备的大修工艺流程。

3 工艺设备和试验设备优先选用国内技术先进、工艺可靠、质量优良、能耗低、信誉高的厂家的名优产品,并配备一定数量必需的进口装备。

3.4.4 工艺设备布置原则应使修理工艺流程最短、运输量最少、专业分工明确、便于车间管理。电气试验站布置时,其周围应安装1.8m高的网状围栏,且其内的电缆宜布置在电缆沟内。

3.4.5 修理工人确定时宜考虑一专多能的配置。生产工人为修理工、机床工、电气试验工之和。

3.5 铆焊修理车间

3.5.3 露天作业场地主要用于待修的金属结构类设备和构件检修前的清洗,以去除淤泥和油污;有些大型结构件在车间内不易翻转,可在露天作业场地翻转后再运入车间检修。

3.6 综合辅助车间

3.6.3、3.6.4 露天煤矿辅助生产系统用车应包括通勤车,生产指挥车、外修队所使用的各类特种设备等;综合维修车间人员和使用面积主要是根据设计实际经验估算得出。

3.7 外修队基地

3.7.1、3.7.2 近年来随着国内新建的大、中型露天煤矿相继建成投产及原有的大型露天煤矿扩能建设,露天煤矿的开采工艺也由原有的单斗—铁道和单斗—卡车间断工艺演变为半连续开采工艺及连续开采工艺并举的局面。有的大型露天煤矿甚至是几种开采工艺并存,坑下难移设备也从单一的单斗挖掘机和钻机增加到轮斗挖掘机、转载机、自移式破碎机、皮带车、拉斗铲、排土机、半固定破碎站等,这些设备的维修保养都要由外修队承担,因此在设计中外修队的检修设备和人员配置必须针对露天煤矿的具体情况确定,人员配置亦按一专多能考虑。

3.8 设备组装场

3.8.1 露天煤矿使用大型采、运、排设备,无法整体运输,必须在制造厂分体包装后运到矿区组装,在矿区组装成整台设备。为此需设置设备组装场,用于组装大型挖掘机、轮斗挖掘机、拉斗铲、自移式破碎机、排土机、矿用自卸卡车及工程机械等。

3.8.2 规定了设备组装场担负的任务范围及相应的设置地点

原则。

3.8.3、3.8.4 设备组装场的设备组装台位使用面积,对地比压、水源、气源、电源、临时建筑等参数,必须满足设备制造厂家提出的技术要求。

4 厂区总图运输

4.1 场址选择

4.1.1 新建露天煤矿机电设备修理设施场址选择,应与矿区地面总体布置相协调,并应符合现行国家标准《煤炭工业矿区总体规划规范》GB 50465 的规定。改建、扩建露天煤矿建设机电设备修理设施时,场址选择宜依托既有露天煤矿的各项基础设施,尽可能简化地面设施,节约用地和减少投资。

4.1.2.1 露天矿总体规划中对露天矿机电设备的场址选定偏重于地理位置、交通运输和用地条件等方面,对工程和水文地质以及厂址的安全性等分析和评价不足,因此初步设计之前,还应对选定的厂址进一步落实。避开不良工程地质地段、采空区、易产生滑坡、泥石流和受洪涝威胁等危险地段。

4.1.2.2 厂址除了满足安全距离的各项要求之外,厂区占地面积还应符合《煤炭工业工程项目建设用地指标》关于露天矿、露天矿区辅助企业部分和《工业项目建设用地控制指标》(国土资发〔2008〕24 号)的有关规定。

4.2 总平面布置

4.2.1 本条是根据露天矿机电修理设施的生产特点提出的一般性要求。

4.2.2 本条强调布局时应了解主要机电设备修理工序的要求,必要时与相关专业配合,尽量集中和联合设置。这样才能提高工作效率、降低运营成本、便于安全管理、避免多次搬运及交叉作业干扰。

4.3 场(厂)内运输

4.3.1 本条重点应考虑露天矿大型设备的运输道路及维修作业

场地的设计。场区道路网应符合线路短捷、人流和物流分开、与场区竖向设计相协调,满足运输及消防等的要求。

4.3.2 随着露天矿设备向大型化、重型化方向发展,大型设备在移动和使用时容易损坏路面及场地,设计时应根据这些设备的活动范围,采用易于修复的路面及场地结构材料。同时必须保证大型设备的运输道路宽度、转弯半径以及回转空间等的具体要求。

场区道路的路线、路基、路面、桥涵等设计,应按现行国家标准《厂矿道路设计规范》GBJ 22的有关规定执行。

4.4 竖 向 设 计

4.4.1 竖向设计的主要内容应包括平场方式的确定、场地标高的确定、场地防护设施(挡土墙、护坡、护墙等)、场地排水方式以及场地排水设施(排水明沟、带盖板排水沟、暗管等)的确定。

4.4.2、4.4.3 厂区竖向设计应针对不同地质地形条件,合理确定场地高程及坡度,对防洪、排涝、道路设置、土方工程量等进行统筹考虑。

4.4.4 工业场地内的台阶高度不宜低于2m;当需要时可设为6m~9m,并应采取防坠措施。

4.4.5、4.4.6 场区地面宜采用管道或明沟加盖板为主的排水系统。对场地位于岩石挖方地段、暴雨集中、流水夹带泥沙及场内边缘的排水地段,宜采用明沟排水系统。排水沟应进行铺砌,沟底纵坡不宜小于3‰。

4.5 厂 区 绿 化

4.5.2 本节规定厂区绿化是参照《煤炭工业露天矿设计规范》GB 50197—2005和国土资源部2008年1月31日发布的《工业项目建设用地控制指标》(国土资发〔2008〕24号)文的规定提出。

5 厂区建筑

5.1 一般规定

5.1.1 我国地域辽阔,各地区的地形、地貌、地震、气象、工程地质、水文地质等存在着较大的差异,这些差异对工程的建筑设计会产生很大的影响,是工程设计中必备的原始资料。在工程设计中才能针对不利因素事先采取有效的防范措施,才能避免造成严重的安全事故和财产损失及不必要的资源浪费。

5.1.2 露天矿采掘采用爆破震动方式、排土场的堆载很大,因此厂区建筑必须建在采掘场爆破震动安全界线及排土场边坡稳定线以外。并且还要必须避开沟壑、滑坡、矿井采空区等不安全地段,才能避免造成严重的安全事故和财产损失及不必要的资源浪费。

5.1.4 矿区机电设备修理设施的几个主要生产车间,如"发动机、液压件、机械部件总成修理车间"、"铆焊修理车间"、"综合辅助车间"和"电气总成修理车间"等生产性质、工作条件、使用要求相近,有条件把这部分车间设计成联合厂房,即使受地形条件限制全联合有困难,也应根据地形具体情况,尽可能地设计成大部分或小部分的联合,总之这次规范制定倡导建联合厂房,实事求是地能作多大就作多大,以化零为整的主导思想,当然这是以工艺设计为首的主导专业牵头,总平面、建筑等多专业协调配合的一致行为。

联合厂房较独立式厂房而言,除显著有效地节约用地和节能外,同时能节约厂区道路和各种管线,方便各车间之间的生产联系,既节约基本建设投资,也节约长期使用费用。如果地形条件允许,一般说建联合厂房是百利而无一害的,当然具体情况要具体分析,实事求是。

这里重点说明建联合厂房对分期建设的好处。一般说一个矿区从开始建设到形成(最终)规模生产能力要经历十几年以至数十年的时间,除个别矿区建设周期短,矿区机电设备修理设施可按(最终)矿区规模一次性建成外,多数厂应分期建设,随着矿区规模扩大有计划进行续建,这应该是带有普遍意义的,以节约一次投资,避免厂房、设备、人员无相应修理任务量而"闲置"的超前行为。

相对独立式厂房扩建而言,这种先建联合厂房,而后有计划续建的扩建方式有以下突出的优点:一是保证了厂房的整体性,尤其是地震区对厂房的整体性十分重要,因为厂房一步到位,它不存在预留扩建端(侧)的临时行为。二是最大限度做到扩建期间不影响生产,不存在对扩建端(侧)的拆除和临时围护。三是这种扩建方式对厂区管理而言最方便,它甚至可以把续建区单独分隔起来,互不影响;四是这种扩建方式的各厂房前、后期皆为永久性,对整个厂而言,皆为完整的统一体。

5.1.5 建筑结构安全等级的划分应符合现行国家标准《建筑结构可靠度设计统一标准》GB 50068 的规定;建(构)筑物抗震设防分类的划分应符合现行国家标准《建筑工程抗震设防分类标准》GB 50223 的有关规定;建筑物的抗震设计应符合现行国家标准《建筑抗震设计规范》GB 50011 的有关规定;构筑物的抗震设计应符合现行国家标准《构筑物抗震设计规范》GB 50191 的有关规定;建(构)筑物的防火设计应符合现行国家标准《建筑设计防火规范》GB 50016 的有关规定。

5.2 生 产 建 筑

5.2.1 本条有两层意思:其一是针对绝大多数厂房应为装配式结构而言,装配式结构应使构配件品种类型最少,而通用性、互换性最强为最优越,要做到这点,显然应符合本条要求,因为这些是厂房设计中最基本的参数,是前提性的东西。其二是针对地震区抗震设计而言,我国大多数煤炭资源蕴藏地在地震区,甚至在高烈度区,"应避免设置纵横相交跨、多跨厂房中的长短跨和高度差",因为这些厂房的平面和体型对抗震十分不利，设计上要主动避开这些不利的因素。资源埋藏地是无法选择的，但设计做到厂房体型简洁、均衡对称，平面上少凸凹，剖面上少高低，完全是人为可以做到的，关键是提高对抗震设计重要性的认识，切实做到这条，对提高设计质量，尤其是深层次的设计质量显然是十分有效的，人们平日不以为然，可是地震来了，有些厂房垮了，有些厂房却安然无恙，究其原因，除地质原因之外，涉及结构设计中对一些最基本抗震问题的思考，从这层意思来说，这条是十分重要的。

5.2.2 本条是针对沿厂房纵向设毗连式生活室（此处把车间辅助用房、车间办公室和车间生活室的联合体统称之为生活室）制定的，旨在保证厂房主体有良好的天然采光和自然通风，因为纵向一般为主要的采光和通风口。

本次规范制定倡导建联合厂房，显然厂房平面尺寸相对大了，厂房主体的采光和通风应得到切实保证，因为它涉及厂房的基本使用质量和对工人劳动最基本的保护。当组成联合厂房的车间多了之后，生活室累加面积显然大了，因此一定要协调好厂房主体和生活室二者之间的矛盾，充分利用联合厂房的优点。

5.2.4 调查中发现凡地面堆载相对大而且堆存面积相对大的厂（库）房，均应考虑地面荷载引起的地基不均匀沉降迫使柱基转动对柱子产生的附加内力及其变形。如果处理不好，轻者造成吊车卡轨，重者甚至危及使用安全，因此本条提请设计人员注意，设计上要增加这方面内容的计算，并采取相应的措施，如柱子可根据计算增大断面和配筋，并备有留作调整轨道的净空和净距的条件；图纸上要注明使用要求，如在地坪上设永久性标志，控制堆载区限和堆载控制值等，凡设计上意识到了并积极采取了措施就可消除隐患。

随着煤矿现代化的进程，煤矿设备大型化、重型化是其基本标志之一，显然修理内容也有了一定的变化，厂（库）房设计应与之相适应。尽管本规范不涉及具体的施工图内容，可是牵涉到结构设计的一些基本原则,牵涉到地基处理费用等必须在初步设计中予以明确。

5.2.5 本条有两层意思:其一现实设计中确有不少大厂房内套小房间的情况,既浪费了厂房的使用面积和空间,同时影响了厂房的采光和通风,吊车运行也十分不安全,工艺设计和建筑设计都应尽力避免这种做法。其二本次规范制定倡导建联合厂房,为了管理和使用上的需要,联合厂房内必然有若干分割的隔断,为不致遮挡厂房的通风和采光,宜设便于拆卸和能重复使用的金属栅栏隔断,既便于各车间厂房面积的分割和调整,又有利于发展时厂房的改造。

5.3 行政、生活建筑

5.3.1 本条以中大型矿区机电设备修理设施为对象拟定。指标限定厂级机关管理人员,适用于编制定员 30 人~50 人的范围,即使特大型厂,本着精简机构,减员提效的原则,厂级机关编制定员亦不应超过 50 人。

参考《党政机关办公用房建筑标准》(计投资[1999]2250 号)中"三级办公用房,编制定员每人平均建筑面积为 $16m^2 \sim 18m^2$";"二级办公用房,编制定员每人平均建筑面积为 $20m^2 \sim 24m^2$"。因为编制定员人数相对少,决定参考二级办公用房指标拟定。当编制定员超 50 人者指标不适用,特大型厂编制定员不足 50 人者指标可提高,但总面积不得超过按 50 人计算的面积,即 $1200m^2$。

在制定该项指标时作了简单的核实,设厂级办公室为普通砌体房屋,取 3.60m×6.00m(深)为一个标准间,取建筑平面系数 0.65,这样大小的一个标准间,使用面积大体为 $19m^2$,建筑面积大体为 $30m^2$。设厂级机关编制定员为 30 人,单人间办公的人数占 10%(约 3 人),接近于"县(市、旗)级正职:每人使用面积 $20m^2$"标准;两人间办公的人数占 30%(约 9 人),接近于"县(市、旗)级直属机关科级:每人使用面积 $9m^2$"标准;三人间办公的人数占 60%

(约18人),接近于"县(市、旗)级科级以下:每人使用面积 $6m^2$"标准。每人占用建筑面积的加权平均值为:$30×0.10+15×0.30+10×0.60=13.50(m^2/人)$。另设会议室(占2标准间)、文印档案室(1间)、电脑打字室和复印室(1间)、科技档案图书室(2间)、科技开发用房(2间),共计8标准间,大体相当于建筑面积 $240m^2$,$240/30=8.00m^2/人$,$13.50+8.00=21.50m^2/人$,取 $22m^2/人$,适用于中型矿区小厂的情况。设厂级机关编制定员为50人,单人间办公的人数占20%(约10人),两人间办公的人数占30%(约15人),三人间办公的人数占50%(约25人),每人占用建筑面积的加权平均值为:$30×0.20+15×0.30+10×0.50=15.50(m^2/人)$。另设小型会议室(占1标准间)、中型会议室(3间)、接待室(1间)、文印档案室(1间)、电脑打字室和复印室(1间)科技档案室(2间)、科技图书室(2间)、科技开发用房(3间),共计14标准间,大体相当于建筑面积 $420m^2$,当定员50人时,$420/50=8.4(m^2/人)$,$15.50+8.40=23.90(m^2/人)$,取 $24m^2/人$,适用于大型矿区大厂的情况。"厂级办公室建筑面积指标为每人平均 $22m^2 \sim 24m^2$"就是这样来的,应该说是落实的、可行的。

该项指标客观上强调了现代化企业管理必须建立在高效、节约和技术进步的基础之上,对人的素质要求高了,对科技档案、科技图书和科技开发用房作了适当配置,以适应现代化科技进步的需要,显然是十分必要的。

设车间办公室同样为砌体房屋,取 $3.60m×6.00m$(深)为一个标准间,这样大小的一个标准间,使用面积大体为 $19m^2$,建筑面积大体为 $30m^2$。设车间行政管理占3标准间(车间正主任1间,车间副主任兼支部书记、工会负责人1间,车间计划员、统计员、资料管理1间),技术管理人员1间~2间(4人及以上者2间),共计4间~5间,相应建筑面积为 $120m^2 \sim 150m^2$。此外,车间配置会议室占2标准间~3标准间,相应建筑面积为 $60m^2 \sim 90m^2$,供车间、工段、班组组织生产、进行技术交流等集体活动用。若车间职工人数为150人～200人时,车间办公室(含会议室)相应建筑面积为180m²～240m²,每人平均1.20m²,只有当车间职工人数为150人～200人时,方可达到上述各部分房间的面积配置标准。事实上由于厂型不同,大小厂内各工种不同,有不少车间编制达不到150人的数量,有的甚至不足100人,此时若按上述各部分房间的面积配置标准采用显然指标偏大许多,这是不合理的,解决的办法是,取每人平均1.2m²计算,或组成行政管理上的联合车间。

5.3.2 更衣休息室和职工浴室的建筑面积指标,应分别按"车间的卫生特征分级"来制定,因为本次规范制定限定矿区机电设备修理设施以修为主,不作配件,因此"车间的卫生特征分级"为2级的车间就没有了,虽仍设有锻工、油漆之类的小组或工段,但皆为辅助部分,人数十分零星。液压支架修理车间、矿山机械修理车间、矿山电气修理车间铆焊修理车间和综合辅助车间(机械加工和机修部分)等,其"卫生特征4级"占全厂生产工人90%以上,因此笼统按"卫生特征4级"考虑,更衣休息室建筑面积指标每人平均1.00m²,应该说有较大提高。

参考有关单位的调查资料,多数车间更衣休息室的设置和使用都不正常,有的没有更衣休息室,有的是临时搭建的非永久性建筑,随着社会的进步,职工衣着水平日益提高,职工劳动保护和福利应得到充分保证,更衣休息室应是不可缺少的一项永久性设施。

5.3.3 职工食堂指标参考现行国家标准《煤炭工业矿井设计规范》GB 50215拟定,建筑面积指标为每为平均1.80m²～2.00m²。

"职工食堂座位数按全厂大班职工人数的80%"是这样来的:其中出勤率系数0.91,职工就餐人员系数0.80,外来人员备用系数1.10,则0.91×0.80×1.10=0.80。

食堂就餐人数不定因素太多,这里考虑两种基本情况,一是绝大多数职工集中住宿舍,宿舍建于邻近厂区,职工基本上在食堂就餐。或职工基本上住新村,职工乘交通车上下班,中餐原则上在食堂就餐,0.80的系数基本上属这种情况。二是商品经济比较发达的地区,宿舍和住宅依托社会解决,这是今后发展的大方向,职工散居或远或近,具体就餐情况就很难确定了。"或按实际情况估计"就是针对这种情况而言的。总体说职工食堂仍有必要设置,但指标不宜太大。

职工食堂可备有杂物院和储存蔬菜的地窖等设施。

考虑到太阳能已逐渐普及,不少矿区尚有热水供应,住宅、宿舍条件大有改善,因此厂区集中职工浴室的指标不宜太大,"建筑面积指标为每人平均 $0.60m^2 \sim 0.45m^2$",事实上已有较大提高。

指标小值适用于职工居住条件较好的矿区。

图书游艺室为丰富职工文化生活和学习用。多数厂远离城镇,职工文化生活比较单调,要为职工文化生活和学习创造必要的条件,寓教化于娱乐之中。

图书游艺室宜建在宿舍区。

全厂职工人数 900 人及以上者设卫生所,建筑面积指标取 $150m^2$,约有使用面积 $16m^2$ 大小的房间共 6 间,其中诊疗室 2 间,注射室 1 间,药库 1 间,消毒清洗(卫生)1 间,办公和值班室 1 间,基本能满足使用要求。

据有关调查资料,乳儿实际平均入托率仅占全厂女职工人数 3% 左右,即使按 5% 计算,全厂女职工人数 200 人的大厂也仅 10 床,取 $8m^2$/每床,总建筑面积仅 $80m^2$。乳儿托儿所由乳儿生活室、哺乳室、厨房(或配乳室)、盥洗室及办公室组成,总面积仅 $80m^2$,要求有如此多房间分割(功能需要)是很困难的,因此全厂女职工人数少于 200 人时不设乳儿托儿所,只能另辟蹊径解决这些具体问题。

不论厂型大小和女职工人数多寡皆设妇女卫生室。妇女卫生室宜与女浴室紧邻,或附设于女职工相对集中处。妇女卫生室的等候间应设洗面器和洗涤槽;处理间应设净身器,并且需有热水供应。妇女卫生室要方便使用,显然要有适当的管理措施,设计要为此创造条件。

5.3.4 门卫室:"主入口为 50m²～60m²"中含 20m² 左右巡逻(保卫)人员值班和休息用房,另设单独出入口与门卫室隔开。

自行车、电动车和摩托车今天已普及为职工上下班主要交通工具,因此自行车棚(库)应视为职工生活中必不可少的一项永久性设施。设自行车、电动车占存车总量 2/3,每辆占用建筑面积 1.50m²;摩托车占存车总量 1/3,每辆占用建筑面积 2.00m²,则加权平均值为:1.50m² × 0.66 + 2.00m² × 0.34 = 1.67m²,取 1.70m²。"自行车棚(库)建筑面积指标为每辆平均 1.70m²"就是这样来的。

当以自行车、电动车和摩托车为职工上下班主要交通工具者,计算辆数按全厂大班职工人数的 100%,适当考虑一、二班交接时存车比较集中的具体情况;当以交通车为职工上下班主要交通工具者,计算辆数不少于按全厂大班职工人数的 30%。

多雨和寒冷地区宜建自行车库,不论是棚是库,其建筑标准皆为永久行为。

职工私家车停车场地视各厂具体情况斟定,不作统一规定。

公共厕所每处建筑面积 30m²,相当于设 5 个蹲位,男 3 女 2,在使用人员相对集中处设置,根据厂型规模,一般设一处,不多于两处。公共厕所为永久性建筑,同样为水冲式,要有利于文明和环境卫生,标准要适当,不宜过低。

5.3.6 设单身职工每年法定探亲假 14d～15d,理论上每套探亲房可为 24 名单身职工服务,但事实上探亲者存在非均衡性,既有延长探亲期的也有空房闲置的,此处取利用率系数 0.80 适当体现这些具体情况。

设每套探亲房建筑面积 28m²～30m²。

$$\frac{28}{24 \times 0.80} = 1.458 \quad 取 1.50$$

$$\frac{30}{24 \times 0.80} = 1.5625 \quad 取 1.60$$

"探亲房建筑面积指标为每单身职工平均 1.50m²～1.60m²"

就是这样估算得来的。估算式考虑全部为反探亲情况,事实上探亲和反探亲两者是同时存在的,从这层意思说指标是偏大的。这里之所以考虑全部反探亲还有一层意思,根据现实工资标准,工资固定部分事实上比重较小,主要是超产奖金部分,反探亲显然对单身职工收入有好处,对用工单位和职工本身能共同受益,因此说指标适当偏大是有道理的。

6 供配电、通信和信息管理

6.1 供配电和照明

6.1.1 露天煤矿机电设备修理设施中卡保间、洗车间等车间用电负荷较大,本着尽量靠近负荷中心的原则,采用多个车间变电所供电是合理的。而对于维修规模小和各车间相对较分散的机修厂,采用集中设置独立变电所供电较合理。

6.1.4 露天煤矿机电设备修理设施附近往往会建设采暖用锅炉房。当锅炉房内部分辅机设备停止运行时,可能会造成锅炉或管网等设备的损坏。因此,特做本条规定。

6.1.6 露天煤矿的组装场用于组装露天煤矿大型生产设备,因此需要设置相应的供电试验设备。

组装场一般在项目先期建设,当设备进入现场投入运行后,场内的供电试验设备往往会闲置,因此,建议组装场的供电试验设备尽量利用露天矿采掘场或排土场内的永久电气设备,避免重复投资。

6.1.12 各变电所采用无功功率自动补偿措施,有利于节能。另外,考虑到个别机修厂存在由市网供电的可能,而各地电力部门对功率因数的要求水平又不一致,因此,特别提出补偿后的功率因数应满足当地电力部门的要求。

6.1.14 机修工业厂区、停车位、组装场区大多占地面积较大,空旷,场区内大型设备较多,采用一般照明设备很难满足整个厂(场)区的照明要求,因此特作此规定。

6.2 通　　信

6.2.1 露天煤矿机电设备修理设施一般与露天煤矿行政办公区域相邻。因此其行政电话用户接入附近的行政办公区行政电话交换机，不但节省投资和运行维护费用，还方便生产指挥调度。当条件不具备时，可设置远端模块，具体采用何种方式接入，可根据当地的通信网络和露天煤矿的通信网络的状况，经综合比较后确定。

6.2.2 由于目前露天煤矿生产调度交换机功能比较强大，都具备虚拟交换和带远端模块功能，因此露天煤矿机电设备修理设施的生产调度可由露天煤矿调度交换机设置调度分机来解决。

6.3 管理信息和监控系统

6.3.1 按露天煤矿统一规划构建露天煤矿机电设备修理设施计算机管理信息系统，可有效利用露天矿已有资源，提高管理水平和管理效率。

6.3.3 露天煤矿机电设备修理设施设置厂区安全生产监控系统，可增强厂区范围内的安全性，提高生产效率和管理水平，便于生产指挥。接入露天矿计算机信息管理系统有利于统一管理。

6.3.5 现代矿山建设对企业管理水平及管理手段提出了更高要求，计算机管理信息系统（MIS）已成为其中行政、生产管理重要的组成部分。将露天煤矿机电设备修理设施安全生产监控系统划入矿计算机管理信息系统中可更好地利用现有资源。

7 给水、排水

7.1 给 水

7.1.1 水源选择：首要条件：水源可取水量充沛可靠，水质符合要求，由于供水的水源较多，应在对水源选择进行技术经济比较后确定。由于机电设备修理设施多数位于露天煤矿工业场地内，所以优先采用露天煤矿工业场地内的水源和供水系统比较经济合理；当取用外部水源时应取得当地水资源主管部门同意并领取"取水许可证"。水源选择的条件同露天煤矿供水水源的选择相同。当采用市政部门供水水源时，须有市政部门"供水协议书"，明确水量，水压，水质和接管点位置。当采用地表水为水源时，工程可研阶段应有实测水文资料，设计枯水流量的保证率不小于90%；初设阶段应有多年连续实测资料，其设计枯水流量的保证率不小于97%。当采用地下水源或地表水源时，根据工程可研、初设和施工图不同阶段应有相应的，经过审批的水文地质普查、详查、勘探阶段的资料，开采水量各自满足C级、D级、B级的精度要求。采用疏干、坑内排水及处理后的生产生活污废水为水源时，应考虑到露天煤矿开采进度变化及水量计算精度等因素，作为供水水源时，为保证供水安全，其量应相应折减。

7.1.2 用水量：各项用水标准参照现行国家标准《煤炭工业矿井设计规范》GB 50215、《煤炭工业露天矿设计规范》GB 50197、《建筑给水排水设计规范》GB 50015的用水指标确定。

发动机和机械部件总成修理车间用水，分两部分：机械部件清洗水和测功间循环补充水。依据工艺资料，部件清洗水量680L/h，压力$P=10.5$MPa，两台同时工作；蒸汽清洗水量378L/h，压力$P=2.8$MPa，1台工作；零件圆盘清洗水量1817L/h，1台工作。合计清洗总水量为 3555L/h。故本规范指标为 3600L/h。

循环补充水按循环水量的 10% 计。

7.1.3 生产、生活所需水质：生活水质，按现行《生活饮用水卫生标准》GB 5749 规定执行；生产、消防及绿化用水，按露天煤矿防尘洒水水质标准执行。当洗车采用处理后的生产生活污废水时，按现行国家标准《城市污水再生利用城市杂用水水质》GB/T 18920 中的洗车杂用水水质标准执行。

7.1.4 矿山大型自卸卡车在进入保养间、综合维修间前需要把生产过程所带的泥沙、煤渣、岩粉及油类清洗掉。所需冷热水量、水压，根据车型、生产条件进行选取。依据现行国家标准《煤炭工业露天矿设计规范》GB 50197，原每辆车每次冲洗水量 1000L～2000L，冲洗时间按 10min 计。按工艺现场调查，收集资料，高压洗车水泵流量为 $Q=1817L/h$，压力为 $P=14MPa$，洗车时间为 20min～30min；相当于每冲洗一辆大型车 30min，需水量为 908.5L，故本规范冲洗车指标为每辆车每次 1000L～1500L 计。

7.1.5 机电修理设施厂内建筑物及屋顶面积大且道路、广场面积多便于雨水收集、回收率高。需要有一定的储水设施，如小型水库、拦水坝、洼地或建造有一定容积的雨水池。经过静止沉淀后可作为洗车、冲洗地面用水。因水处理系统利用率低、季节运行，其设备管材、构筑物要从简。参照现行国家标准《民用建筑节水设计标准》GB 50555 设计。

7.2 消 防

7.2.1～7.2.3 按现行国家标准《建筑设计防火规范》GB 50140、《煤炭工业给水排水设计规范》GB 50810 和《室外给水设计规范》GB 50013 规定执行。

7.3 排 水

7.3.2 综合维修间、发动机和机械部件总成修理间、保养间、洗车间等洗车和冲洗地面废水含有大量泥砂、岩粉、煤渣及油类,此水需集中收集、单独处理,需有一定容积的沉砂、沉淀处理构筑物和有一定能力的除油设备和过滤设备。处理后的水复用于洗车和冲洗地面用水。其污泥用吸泥车运到排土场排弃。此系统应四季运行,冬季寒冷地区需考虑防冻。

7.3.3 根据安太堡露天煤矿保养间实际情况:该保养间于20世纪80年代末期建成,给排水设计按当时国内常规的重型卡车选择,其地漏检查井、给水阀门井、排水沟箅子均为常规砖砌井、重型铸铁井盖和盖座。结果空车一进入车间,全部压坏,只好重新设计,建设。准格尔露天煤矿黑岱沟场地加水站,按常规埋深设计的给水管道,均被拉水车压坏。所以本条规定,有大型卡车通过给排水设施的地方,应考虑结构和强度要求。

8 采暖、通风

8.1 一般规定

8.1.6 目前国内设计的露天煤矿卡车和工程机械保养车间都比较高大,工艺要求外门较多,可供安装散热器地方有限,单纯依靠散热器无法保证室内温度。因此,一般可采用散热器与暖风设备联合采暖方式,散热器按至少保证5℃值班采暖设计,其余负荷由暖风设备承担。暖风设备最好带温控开关,根据设定温度自动开启或关闭,实现节能。

8.2 通风与空调

8.2.2 喷漆间、铆焊车间焊接台位局部排风时,排出气体中含有油漆、粉尘,需设净化设施。

8.2.4 屋顶通风机要求选用进口配自动启闭阀的风机主要考虑采暖地区,风机停转后风阀关闭,防止烟囱效应,热气流出,保证室内采暖温度。

8.4 室外供热管道

8.4.3 工业场地通过的卡车重达几十吨至上百吨,当室外供热管道采用地沟敷设时,其过车处的地沟及检查井应单独设计,强度满足车辆通过的要求。

9 节　能

9.0.3 本条为总图运输节能设计基本要求,其中对1、3款解释如下:

1 起重运输车辆的能耗和运输距离、装卸搬运的次数成正比关系,为减少能耗,应做到生产流程通顺合理,为缩短运距,应将联系密切的车间就近布置,如发动机和机械部件总成修理车间宜靠近卡车和工程机械保养车间。当然,在生产规模适中的情况下,建联合厂房是最经济的布置方式。

3 厂区竖向布置,针对各种不同的场地地形,合理确定其高程(绝对标高)及坡度,应尽可能减少土方工程量,有效组织地面雨水自然排放,生产废水和生活污水都能自流到废水及污水处理站,可为工厂的生产、运输创造良好条件,达到节能的目的。如果场地高程制定不合理,特别在雨水多的低洼平原地区,高程定得过低,不仅地面雨水不能及时顺利地排除,增加运输及排涝能耗,而且严重影响生产,甚至危及生命财产安全。所以,在确定厂区场地高程时,应结合防洪、排涝、土方工程量、运输条件等,进行全面分析综合考虑。

9.0.4 本条为建筑节能设计基本要求,其中对1、2、3款解释如下:

1 建适宜的多跨联合厂房及多层的生产辅助和办公用房,不仅可节约用地和基建投资,也是减小建筑物体型系数达到节能的有效方法。

2 目前国家尚无与露天煤矿机电设备修理设施相适应或接近的工业建筑节能设计规范,在进行露天煤矿机电设备修理设施建筑节能设计时可按照现行国家标准《公共建筑节能设计规范》

GB 50189 的有关规定执行。

3 建筑物选取好的朝向,使之冬暖夏凉,是充分利用太阳能和风能的一种有效方法。

9.0.5 本条为供配电节能设计基本要求,其中对1、2、3、6款解释如下:

1 变电所尽可能接近负荷中心,可降低配电线路线损,提高供配电系统的效率。

2 为贯彻国家节能的有关政策和规定,本条要求按照经济电流校验所选主要输配电导线和电缆的适宜性。

3 在选择变压器方案时,应根据用电性质、用电负荷量、负荷变化情况以及当地基本电价政策,经技术经济多方案比选后,确定变压器容量、台数及运行方式。所选方案应能在各种负荷条件下,保证变压器在经济运行区运行。

6 选用智能型照明控制设备,可根据环境的亮度变化及工艺要求,随时调节所处场所的照明照度值,节约能源,构造人与环境的和谐。

9.0.6 本条为采暖通风节能设计基本要求,其中对1、3款解释如下:

1 利用自然能源主要指对太阳能、风能及地下热能的合理利用。

3 由于各种类型的采暖换热器传热系数相差很大,设计应尽量选用高效节能型。设置温度自动调节装置,可根据采暖期巾的初寒期、寒冷期和末寒期对供水温度进行分别设定,达到对采暖系统质的调节。

10 职业安全与职业病防治

10.1 安 全

10.1.1 本条为建筑安全设计及厂区布置基本要求,其中对1、2、4款解释如下:

1 厂区(厂址)必须有充分可靠的气象、水文地质、工程地质等原始资料,作为设计依据基础。对其不利因素,应事先采取各种有效的防范措施,可避免造成严重的安全事故及不必要的资源浪费。

2 目前,很多露天矿设总仓库统一储存和调度各类物资,各部门根据实际需要进行申领,这样有利于统一管理、减少浪费。从安全角度讲,集中设置总仓库也有利于安全、消防设施集中配置,降低事故救援难度。

4 本款根据现行国家标准《建筑设计防火规范》GB 50016、《工业企业厂内铁路、道路运输安全规程》GB 4387的规定提出。

10.1.2 车间内通道宽度是按照现行行业标准《机械工业职业安全卫生设计规范》JBJ 18中表13.1.4的有关数据,结合露天煤矿机电设备修理设施的具体情况作了适当调整。

10.1.3 本条为防止意外工伤、人身事故的安全措施设计基本要求,对各款解释如下:

1 冲压机械主要用于工件冲孔、下料及金属构件的整形等作业,在露天煤矿机电设备修理设施中由于机械化程度不高,大多采用手工操作,但冲压作业速度快,一旦操作失误、放料不准、模具移位,使操作人员的手进入"危险区"就很易造成断指事故。

对压力机的安全要求及对安全装置的要求,应按现行国家标准《冷冲压安全规程》GB 13887的有关规定执行。

2 电动机修理,对其转子和定子进行绕线和嵌线后,需经过槽浸漆或压力渍漆机渍漆及烘干的绝缘处理工艺。烘干是在电热烘房中进行,由于油漆中含有可燃挥发性物质,操作不当就会引起爆炸。因此,对电热烘房要有防爆预警装置。为方便电气试验,通常把电气试验站设在电修车间内。由于其工作的特殊性及高压实验的危险性需要用隔栏与车间其他部分分隔。

3 导管式安全滑触线在我国近年来得到迅速发展和广泛采用。与传统的角钢滑触线相比,主要优点在于:安装灵活方便,不需要另设防护板;使用安全可靠;运行接触良好,不会出现弧光,节约用电。

10.1.4 根据工艺要求,露天煤矿机电设备修理设施内存在多个喷涂工序,其设计及涂装作业应符合现行国家标准《涂装作业安全规程》的相关规定,目前我国并实施的现行国家标准《涂装作业安全规程》系列标准有12项,分别是:现行国家标准《涂装作业安全规程 涂漆工艺安全及其通风净化》GB 6514、《涂装作业安全规程 安全管理通则》GB 7691、《涂装作业安全规程 涂漆前处理工艺安全及其通风净化》GB 7692、《涂装作业安全规程 静电喷漆工艺安全》GB 12367、《涂装作业安全规程 有限空间作业安全技术要求》GB 12942、《涂装作业安全规程 术语》GB 14441、《涂装作业安全规程 涂层烘干室安全技术规定》GB 14443、《涂装作业安全规程 喷漆室安全技术规定》GB 14444、《涂装作业安全规程 静电喷枪及其辅助装置安全技术条件》GB 14773、《涂装作业安全规程 粉末静电喷漆工艺安全》GB 15607、《涂装作业安全规程 浸涂工艺安全》GB 17750、《涂装作业安全规程 有机废气净化装置安全技术规定》GB 20101。露天煤矿机电设备修理设施设计时应满足以上相应标准的要求。

10.2 职业卫生

10.2.1 本条为防尘设施设计基本要求,对各款解释如下:

1 铁锈尘为其他粉尘,其总尘 PC-TWA 限值为 $8mg/m^3$;电焊烟尘为可疑人类致癌物(G2B),其总尘 PC-TWA 限值为 $4mg/m^3$。

2 抛丸喷砂除锈产生大量粉尘,应设置机械通风除尘装置,其他手工除锈可不考虑除尘。

3 焊接及等离子切割的固定点,通常设固定罩排风及烟尘净化装置。在室内不能固定的作业点,采用移动式焊烟净化机,也有明显的排烟净化效果。

10.2.2 本条为噪声及振动控制措施设计基本要求,对各款解释如下:

1 露天煤矿机电设备修理设施内存在稳态噪声、非稳态噪声和脉冲噪声,其职业接触限值应符合现行国家标准《工作场所有害因素职业接触限值 第2部分:物理因素》GBZ 2.2 的相关要求。

2 噪声控制应根据不同的噪声源特性和传播方式采取相应措施,有以下的效果:

1)风机的噪声一般为(95～110)dB(A),单机加隔声罩后可下降(20～30)dB(A),集中布置采用隔声间,隔声量一般为(40～50)dB(A),均可达到噪声控制规范的要求。

2)压缩空气站的噪声,机组一般为(83～95)dB(A),进风口(90～105)dB(A)。目前国内消声器产品种类繁多,针对各种风机和空气压缩机的进排气管道上安装相应的消声器,都具有良好降噪效果。

3 对压力机等有强振动的设备采取隔振措施,是减弱和消除振动影响的有效方法。关于隔振基础的设计,可按现行行业标准《隔振设计规范》JBJ 22 的有关规定执行。

10.2.3 露天煤矿机电设备修理设施应按现行国家标准《工业企业设计卫生标准》GBZ 1、《采暖通风与空气调节设计规范》GB 50019 和《煤炭工业供热通风与空气调节设计规范》GB/T 50466 的有关规定进行防暑、防寒设计。

10.2.4 本条为防有毒有害物质设施设计基本要求,其中对1、2款解释如下:

1 修好的机电设备,在出厂前都要进行表面涂装处理。当采用喷漆工艺时,应集中在喷漆室内进行,防止漆雾扩散,并应采取排风净化处理。同时也要注意不要在喷漆室内打腻子,防止腻子粉尘与油漆黏结,堵塞吸风通道,影响通风效果。

对采用刷漆工艺的场所,应有良好的自然通风环境,能使油漆中挥发物尽快扩散。

2 发动机测功将产生大量以一氧化碳、非甲烷烃、氮氧化物和烟尘等为主要污染成分的发动机尾气,威胁操作工人健康,因此应设置收集排放系统集中排放,不得在车间内自由扩散稀释。

10.2.5 除以上4类常见的煤矿职业病危害外,露天煤矿机电设备修理设施还存在电焊紫外线辐射等其他职业病危害因素,应根据国家现行标准进行防护设施设计,确保职工健康。

10.2.6 电焊作业易由电弧紫外线辐射引起眼角膜结膜炎,又称电光性眼炎。屡次反复会使角膜变形造成视力障碍,电光性眼炎是机械行业主要职业病之一,为防止工人受紫外线照射,焊工操作时,应用屏障围住作业区,以减少光的不良影响。

11 环境保护

11.1 一般规定

11.1.1 露天煤矿机电设备修理设施环境保护设施应严格执行与主体工程同时设计、同时施工、同时投产的"三同时"制度。

11.2 污染防治

11.2.1 本条根据《中华人民共和国环境保护法》制定。

11.2.2 本条为空气污染物防治设施设计基本要求,其中对1、4、5、6款解释如下:

1 干式除尘可减少水污染等二次污染并节约用水。

4 漆雾主要含甲苯、二甲苯等挥发性有机物。

5 按国家相关环保要求,目前汽车发动机均自带尾气催化净化装置并达到现行国家标准《车用压燃式、气体燃料点燃式发动机与汽车排气污染物排放限值及测量方法(中国Ⅲ、Ⅳ、Ⅴ阶段)》GB 17691相应阶段的要求,但考虑到发动机和机械部件总成修理车间测功间内发动机尾气排放量可能较大,待测发动机的运行工况不正常等因素,本设计建议测功间发动机尾气收集排放系统加设尾气净化装置,确保外排尾气达标。

6 露天煤矿机电设备修理设施各车间排气筒按现行国家标准《大气污染物综合排放标准》GB 16297做出最小高度规定,并应符合该露天煤矿环境影响报告书要求。同时,各污染物排放浓度、排放速率均应符合国家现行有关标准。

11.2.3 本条为水污染物防治措施设计基本要求,对各款解释如下:

1 露天煤矿机电设备修理设施工业废水特征污染物如石油

类、pH等会导致后续生化处理设施中微生物活性降低乃至死亡，导致出水恶化，故应预先处理达标，满足现行行业标准《污水排入城市下水道水质标准》CJ 3082的有关规定后再与生活污水和其他污水合并处理。

2 设集中污水处理厂有利于均化水质，降低冲击负荷，提高处理效率和出水水质，在技术经济条件许可时应优先考虑。

3 本条规定了厂内废水宜设回用水系统的内容，意在节约水资源，减轻水环境污染。

11.2.4 本条为固体废弃物处置措施设计基本要求，对1款解释如下：

1 目前，各现有露天煤矿机电设备修理设施对废机油、漆渣、废乳化液、擦拭用棉纱等废物处置存在诸多问题，本设计要求严格按相应环保标准及本露天煤矿环境影响报告书的要求，在进行性质鉴别的基础上由具有处置资质的相关部门进行处置，并应考虑回收和综合利用措施，减少排放。

11.2.5 除满足本露天煤矿机电设备修理设施内职业危害接触限值要求外，噪声及振动控制还应做到厂界噪声达标。